Pelos caminhos do Nazareno

Pe. Beto Mayer, omi
FRATERNIDADE MISSIONÁRIA CARLOS DE FOUCAULD

Pelos caminhos do Nazareno

PISTAS PARA UM DISCIPULADO NA MÍSTICA DO NAZARENO

Dados Internacionais de Catalogação na Publicação (CIP)

(Câmara Brasileira do Livro, SP, Brasil)

Mayer, Beto
  Pelos caminhos do Nazareno : pistas para um discipulado na mística do Nazareno / Pe. Beto Mayer ; Fraternidade Missionária Carlos de Foucauld. – São Paulo : Paulinas, 2017. – (Coleção céu na terra)

  ISBN: 978-85-356-4319-0

  1. Bíblia. N.T. Evangelhos 2. Jesus Cristo - Ensinamentos 3. Jesus Cristo - Pessoa e missão I. Fraternidade Missionária Carlos de Foucauld. II. Título II. Série.

17-06067   CDD-232.9

Índice para catálogo sistemático:

1. Jesus Cristo nos Evangelhos : Cristianismo   232.9

1ª edição – 2017
1ª reimpressão – 2018

Direção-geral:	*Flávia Reginatto*
Editora responsável:	*Andréia Schweitzer*
Copidesque:	*Ana Cecilia Mari*
Coordenação de revisão:	*Marina Mendonça*
Revisão:	*Sandra Sinzato*
Gerente de produção:	*Felício Calegaro Neto*
Projeto gráfico:	*Manuel Rebelato Miramontes*
Diagramação:	*Jéssica Diniz Souza*
Imagem de capa:	© *ellemarien7 – Fotolia*

Nenhuma parte desta obra poderá ser reproduzida ou transmitida por qualquer forma e/ou quaisquer meios (eletrônico ou mecânico, incluindo fotocópia e gravação) ou arquivada em qualquer sistema ou banco de dados sem permissão escrita da Editora. Direitos reservados.

Paulinas

Rua Dona Inácia Uchoa, 62
04110-020 – São Paulo – SP (Brasil)
Tel.: (11) 2125-3500
http://www.paulinas.com.br – editora@paulinas.com.br
Telemarketing e SAC: 0800-7010081

© Pia Sociedade Filhas de São Paulo – São Paulo, 2017

Inspiração fundante

GRITAR O EVANGELHO COM A VIDA. É preciso gritar o Evangelho com a vida. Toda a nossa vida, por mais discreta que seja, tanto a vida de Nazaré como a vida do deserto, bem como a vida pública, deve ser uma pregação do Evangelho mediante o exemplo. Toda a nossa existência, todo o nosso ser deve gritar o Evangelho sobre os telhados... Toda a nossa pessoa deve irradiar Jesus. Todos os nossos atos, toda a nossa vida deve gritar que pertencemos a Jesus. Todo o nosso ser deve ser uma pregação viva, que grite Jesus, que faça ver Jesus, que resplandeça a imagem de Jesus.

Ir. Carlos de Foucauld

A minha família, meus pais, *Roberto* e *Kathleen*, meus irmãos *Jeanne* e *Ricardo*, com quem dei meus primeiros passos em espiritualidade e discipulado.

À *Província do Brasil dos Missionários Oblatos de Maria Imaculada*, que me acolheu, enviou e apoiou na missão evangelizadora.

À *Fraternidade Missionária Carlos de Foucauld*, que ajudei a fundar para caminhar nos passos de Jesus de Nazaré.

Com um amor muito especial, às cofundadoras *Elvira Pinto e Therezinha de Jesus Corrêa*, pela presença amorosa e dedicação na preparação deste livro.

Aos participantes do nosso *Curso de Aprofundamento Bíblico em Niterói, RJ*, pelo aprofundamento de espiritualidade de discipulado missionário pé no chão.

A *Mauro Lopes*, que me ajudou na preparação e revisão do texto.

À *Iris de Camargo Fernandes*, amiga e irmã nesses anos todos, por seu apoio todo especial, sua ajuda na digitação e correção do texto.

Aos participantes dos nossos *Retiros bíblicos, Encontros de espiritualidade* e *Acompanhamento pastoral-espiritual*, pela ressonância orante e fraterna.

Sumário

Apresentação 11

Introdução 17

1. Pistas para o discipulado na mística nazarena 21

2. A mistagogia do caminho das bem-aventuranças 57

3. Espiritualidade de uma fraternidade eucarística 117

4. Contemplação missionária 135

Bibliografia 173

Apresentação

"Escuta, ó Israel" (*Shemá*, Israel).

É essa a disponibilidade sobre a qual o judaísmo fez sua história ao longo de milênios e que se tornou a principal oração do povo eleito – Dt 6,4.

Escutar.

"Este é meu Filho amado; escutai-o!"

Da nuvem, durante o episódio da transfiguração, esta é a palavra do Pai aos amigos de Jesus (Mt 17,5; Mc 9,7; Lc 9,35). A mesma disponibilidade para a escuta está no cerne do cristianismo.

Escutar.

É isso que faz Padre Roberto Mayer, omi, ou simplesmente Beto Mayer, ou ainda Beto, como gosta de ser chamado.

Beto escuta.

Silêncio, pobreza, amor compassivo.

São as três condições para seguir Jesus Cristo, razão da vida de Beto – e para conseguir escutá-lo.

Beto entendeu e nos ensina que só *silencia* quem fez *pobre* sua vida e seu coração e quem *ama* a ponto de ficar quieto em disponibilidade para o outro; só é *pobre* quem *silenciou* o desejo de fama, riqueza e poder, como Cristo decidiu que seria durante as tentações no deserto, e quem *ama* a ponto de doar tudo; só *ama* quem é verdadeiramente *pobre* e consegue *silenciar* seus ruídos internos para enxergar.

Quem silencia, empobrece e ama, consegue abrir espaço no coração e no ouvido para escutar.

É o que faz Beto.

Beto é um monge no mundo.

Por isso, além de seguir a orientação do Deuteronômio e atender à convocação do Pai para a escuta do Filho, ele atende à prescrição primeira de São Bento em sua Regra: "Escuta, filho, os preceitos do Mestre, e inclina o ouvido do teu coração".

É essa a característica essencial da escuta de Beto.

Ele inclina o ouvido do coração para escutar, que é, na verdade, sua ação pastoral.

Beto não "faz nada", de acordo com a concepção dominante na sociedade, que demanda ativismo e "realizações".

Ele escuta as centenas de pessoas entre padres, religiosos, religiosas, leigos e leigas de quem é diretor espiritual; as comunidades que acompanha pregando retiros; e a sua querida Fraternidade Missionária Carlos de Foucauld. Escuta inclinando o ouvido de seu coração para cada pessoa e comunidade, porque sabe que em cada pessoa é Cristo que se está aproximando.

Quem já teve a alegria de participar de um dos retiros de Beto sabe que não se trata de um encontro no qual o "pregador" fala, fala, fala e os participantes escutam. Beto pouco fala.

Ele prepara-nos.

Prepara-nos para escutar. Textos breves e uma fala breve a cada sessão nos retiros, a encaminhar os participantes para esta postura essencial: escutar. Passamos o tempo nos retiros buscando escutar. Não é para escutar a ele, Beto, que somos preparados. Não. Beto conduz-nos para escutar aquele que é a própria Palavra. E, se aprendermos algo nos dias de retiro, quem sabe conseguiremos aproximar nosso ouvido do coração? É o convite que este livro nos faz.

Em Beto, nada é um fardo.

Tudo é escolha que, quem o conhece, sabe que se renova a cada dia: silêncio, pobreza, amor compassivo. Por isso, vive em alegria; sabe que tudo é uma grande bênção que o Senhor derrama continuamente. É disso que nos fala em suas "pistas".

Mas não pense em confundir esse jeito de ser de Beto com passividade. Seus textos são todos eles denúncia do sistema neoliberal diabólico que se implantou como negação do Reino. Em suas "pistas", como você verá ao longo do livro, Beto é capaz de articular as questões mais amplas, concernentes a toda a humanidade, nas dimensões política, econômica, social e cultural, com a mais absoluta intimidade de cada pessoa.

O *irmãozinho universal*, Carlos de Foucauld, de que Beto tornou-se íntimo, mesmo agora, depois de 100 anos de sua morte (em 1º de dezembro de 2016), era assim também, capaz de mergulhar na profundidade de cada *ser humano* e na universalidade que os reúne todos como *seres humanos*. Por isso, intimidade de *irmãozinho*, abrangência de quem se fez *universal*.

Beto e seu irmãozinho Carlos, nosso irmãozinho, são assim.

Abandonados ao Senhor, humildes seguidores do manso e humilde. Escutadores.

Mauro Lopes
em 17 de dezembro de 2016,
Memória de São Lázaro, amigo de Jesus,
e no 80º aniversário do Papa Francisco

Introdução

Este livro é resultado da caminhada da Fraternidade Missionária Carlos de Foucauld, que nasceu em 28 de março de 1980, durante uma missão popular realizada perto do cemitério na aldeia de Meia Ponte, na cidade de Itumbiara, Goiás. Ao olhar e refletir sobre a pobreza dos *ossos secos espalhados pelo chão do cemitério* em Meia Ponte, foi recordada a profecia de Ezequiel. Sentimos um chamado agraciante a colocar nossas vidas em discipulado missionário, formando uma fraternidade de vida. O texto contemplado foi:

A mão de Javé pousou sobre mim e o espírito de Javé me levou e me deixou num vale cheio de ossos. E o espírito me fez circular em torno deles, por todos os lados. Notei que havia grande quantidade de ossos espalhados pelo vale e que estavam todos secos. Então

Javé me disse: "Criatura humana será que esses ossos poderão reviver?". Eu respondi: "Meu Senhor Javé, tu que sabes". Então ele me disse: "Profetize, dizendo: Ossos secos ouçam a palavra de Javé! Assim diz o Senhor Javé a esses ossos: Vou infundir um espírito, e vocês reviverão. Vou cobrir vocês de nervos, vou fazer com que vocês criem carne e se revistam de pele. Em seguida, infundirei o meu espírito, e vocês reviverão. Então vocês ficarão sabendo que eu sou Javé".

Profetizei, de acordo com a ordem que havia recebido. Enquanto eu estava profetizando, ouvi um barulho e vi um movimento entre os ossos, que começaram a se aproximar um do outro, cada um com o seu correspondente. Observando bem, vi que apareciam nervos, que iam sendo cobertos de carne e que a pele os recobria; mas não havia espírito neles. Então Javé acrescentou: Profetize e diga: "Assim diz o Senhor Javé: Espírito, venha dos quatro ventos e sopre nestes cadáveres, para que revivam". Profetizei conforme ele havia mandado. O espírito penetrou neles, e reviveram, colocando-se de pé. Era um exército imenso.

Em seguida, Javé me disse: "Criatura humana, esses ossos são toda a casa de Israel. Os israelitas andavam dizendo: 'Nossos ossos estão secos e nossa esperança se foi. Para nós, tudo acabou'. Pois bem! Profetize e diga:

Assim diz o Senhor Javé: Vou abrir seus túmulos, tirar vocês de seus túmulos, povo meu, e vou levá-los para a terra de Israel. Povo meu, vocês ficarão sabendo, que eu sou Javé, quando eu abrir seus túmulos, e de seus túmulos eu tirar vocês. Colocarei em você o meu espírito, e vocês reviverão. Eu os colocarei em sua própria terra, e vocês ficarão sabendo que eu, Javé, digo e faço – oráculo de Javé" (Ez 37,1-14).

Começamos também a fazer uma leitura contemplativa do livro *Fermento na massa*, de René Voillaume, inspirado na espiritualidade e mística do Irmãozinho Carlos de Foucauld. O livro servia para as congregações que René Voillaume fundou na França em 1933: dos *Irmãozinhos e Irmãzinhas de Jesus* e dos *Irmãozinhos e Irmãzinhas do Evangelho*.

Éramos apenas três pessoas: Elvira Leite Pinto, que faleceria 25 anos depois, num acidente rodoviário no Vale de Jequitinhonha, a 672 quilômetros de Belo Horizonte; Therezinha de Jesus Corrêa e eu, Beto Mayer.

Interessante é que nós três tínhamos levado na missão somente a Bíblia e o livro *Fermento na massa*, sem que tivéssemos combinado nada antes.

Depois de um tempo de discernimento, decidimos abraçar uma nova caminhada de discipulado missionário inspirado na vida pobre de Jesus de Nazaré. Assumimos ser uma comunidade pobre e inserida entre os mais pobres e menos amados. Logo vieram outras pessoas para caminhar conosco. A missão foi definida: ser *fermento na massa a partir da convivência das bem-aventuranças.*

Fomos muito agraciados nestes anos todos. Saboreamos a alegria da convivência fraterna, abraçada numa vida em comum. Recordamos momentos bonitos, significativos e agraciados. Desde o início, um pequeno subsídio, "As pistas para discipulado", nos animou para nossa vida, missão e discernimento pastoral.

Os capítulos deste livro são todos escritos a partir das versões originais de "As pistas para discipulado", um boletim interno da Fraternidade Missionária Carlos de Foucauld, revista, atualizada e contemplada.

BETO MAYER

CAPÍTULO 1

Pistas para o discipulado na mística nazarena

A mística do profeta de Nazaré

Jesus ficou conhecido como o profeta de Nazaré da Galileia (Mt 21,11). Nazaré foi vista como um lugar insignificante, um povoado com pessoas que viviam uma espiritualidade simples. Jesus viveu quase toda a sua vida em Nazaré, crescendo em meio a uma vida pobre e camponesa. Normalmente os meninos judeus estudavam em casa.

Nazaré era um pequeno povoado de apenas 150 a 200 habitantes. A maioria do povo vivia em grutas escavadas nas encostas. Alguns moravam em casas de pedra ou adobe, com teto de ramas secas e argila e chão de terra batida. Elas tinham um só cômodo e davam para um pátio comum, compartilhado por várias famílias. Jesus viveu em um ambiente rural e pobre, onde o povo tinha que dar noventa por cento de seu trabalho para pagar os tributos a Roma e os impostos ao Templo em Jerusalém.

Jesus viveu como camponês diarista, buscando trabalho nas roças e aldeias vizinhas. Aprendeu a espiritualidade caseira dos pobres de Javé, dos *anawin*, com suas orações e encontros semanais aos sábados na sinagoga. Ele optou por um *estilo nazareno de vida!* Começou com sua encarnação e sua missão. Paulo, discípulo amado do Mestre, chamou isso de *kénosis:* o esvaziamento, despojamento e aniquilamento:

> Tenham em vocês os mesmos sentimentos que havia em Jesus Cristo: Ele tinha a condição divina, mas não se apegou a sua igualdade com Deus. Pelo contrário, esvaziou-se a si mesmo, assumindo a condição de servo e tornando-se semelhante aos homens. Assim, apresentando-se como simples homem, tornando-se obediente até a morte, a morte de cruz (Fl 2,5-8).

Depois do seu batismo de consagração missionária no rio Jordão, Jesus foi ao deserto, conduzido pelo Espírito. Formulou as opções de sua vida como peregrino itinerante. Foi tentado. As tentações, ou provações, foram um tempo de discernimento entre dois tipos de messianismos que se lhe apresentaram: o messianismo de poder e prestígio, de tipo davídico, e o messianismo pobre e simples na linha dos profetas de Israel e de sua vida em Nazaré. Jesus decidiu-se por esta última opção nazarena, rejeitando o poder político, social e o prestígio religioso.

Ser discípulo ou discípula de Jesus é seguir um caminho que conduz à libertação da pessoa de forças que a prendem física e espiritualmente. A pessoa livre passará a viver sob uma espiritualidade que se coloca em antítese com o sistema opressor atual. O discípulo é desafiado a uma mística espiritual que o liberta das cadeias da atração pela posse, pela certeza e por caminhos fáceis a serem percorridos. A libertação virá a partir de uma perspectiva místico-libertadora sobre a relação de discípulo com os valores monetários que davam a posse e o poder de bens materiais, a sua insegurança e o caminho de discipulado a ser seguido. Esse é um discipulado missionário na mística da espiritualidade de Nazaré.

O testemunho da vida missionária de Irmão Carlos de Foucauld

O testemunho de vida missionária de Irmão Carlos de Foucauld inspirou e inspira ainda hoje muitas pessoas a abraçarem uma vida em fraternidade no meio do povo sofredor na mística nazarena.

Nascido na França em 15 de setembro de 1858, Carlos ficou órfão muito cedo. Foi criado por seu avô numa educação marcada por muita disciplina. Quando jovem, passou a viver uma vida desenfreada; ao mesmo tempo, era visto por todos como um homem inteligente, sábio e gentil. Na sua juventude não havia espaço para Deus. Esbanjava sua vida em jogos, comidas, festas. Recebeu uma grande herança por ocasião da morte de seu avô.

Com 23 anos, Carlos ofereceu-se para servir o Exército, que seria enviado pelo governo francês para conter uma rebelião na Argélia. Teve experiências marcantes nesse país africano. Assumiu com muita coragem as dificuldades encontradas. Interessou-se pela vida do povo do lugar. Ao retornar à França, ele já começava a manifestar o início de seu processo de conversão. Passara a acreditar que existia alguém superior. Ajudado por um sacerdote, Padre Huvélin, ele confessou-se e aprendeu o caminho da oração.

Aos 28 anos, converteu-se ao Evangelho de Jesus e ingressou num mosteiro Trapista, em busca de uma vida santa e silenciosa de oração. Para Carlos, essa mudança de vida foi fruto de uma grande luta interior, do encontro com o Islã e da amizade com sua prima Maria de Bondy.

Irmão Carlos passou a buscar sem cessar o lugar que Deus reservava para ele. Depois de sete anos, ele deixou a vida monástica e foi viver em Nazaré. Voltou à Argélia, disposto a ali permanecer para testemunhar Jesus no meio dos muçulmanos. Aceitou ser ordenado sacerdote, e voltou para Tamanresset, no deserto do Saara, a fim de compartilhar a vida com os tuaregues, um povo nômade e pobre.

Passou anos rezando e vivendo a vida no silêncio; sobretudo, vivendo a vida dos pastores do deserto. Quis ser e viver como *irmão universal*, irmão de todos, pois acreditava profundamente que somente assim poderia realizar o seu sonho: ser um irmãozinho de Jesus. Em 1º de dezembro de 1916, com apenas 58 anos, foi assassinado com um tiro disparado por um jovem, inimigo da tribo que ele havia adotado como sua família.

Irmão Carlos sempre esperou ter algum companheiro que quisesse compartilhar com ele o mesmo ideal e a mesma vida de Nazaré; porém, morreu sozinho. Somente depois de sua morte, apareceram seus primeiros seguidores: irmãozinhos e irmãzinhas. Seu sonho tornou-se realidade quase 100 anos após sua morte. Há dez grupos religiosos e oito associações que seguem o discipulado e vida missionária inspirados no carisma de Irmão Carlos, constituindo o que ficou conhecida como Família Missionária de Carlos de Foucauld. Eles estão espalhados pelo mundo inteiro, sendo presença do Evangelho vivo. A espiritualidade de Irmão Carlos de Foucauld nos passos nazarenos de Jesus inspirou muitas pessoas e grupos para um comprometimento de ser pobre como Jesus Mestre. Irmão Carlos dizia:

Meu Deus não sabe se é possível a certas pessoas vos verem pobre e permanecerem assim mesmo ricas, considerarem-se maiores do que seu Mestre, do que o Bem-amado, não quererem parecer convosco em tudo, no que depender delas, e, sobretudo, nas vossas humilhações. Acredito que elas vos amem, meu Deus, mas, no entanto, creio que falta alguma coisa nesse amor e, quanto a mim, não posso conceber o amor sem uma necessidade, uma necessidade imperiosa de conformidade, de semelhança e, sobretudo, de partilha de todas as dores, de todas as dificuldades, de todas as durezas da vida. Ser rico, viver confortável e tranquilamente dos meus bens, sabendo que vós fostes pobre, mortificado, vivendo com dificuldade de um ofício pesado: para mim, eu não posso, meu Deus. Eu não posso amar assim. O servo não é maior do que o seu senhor.

Carlos mostra que a proclamação do Evangelho, quando mergulhado na mística de Nazaré, torna-se vida evangélica. Irmãozinho Carlos de Jesus Foucauld foi beatificado em Roma, em 13 de novembro de 2005.

O pequeno projeto missionário de Jesus: suas opções missionárias

O pequeno projeto missionário de Jesus: "buscar primeiro o Reino de Deus e a sua justiça" (Mt 6,33). Milhares de pessoas se reuniam ao redor de Jesus. Muitas eram vítimas do *fermento dos fariseus*. Era gente censurada e controlada pelas autoridades, explorada pelos impostos dos romanos e pelas taxas do Templo, e por isso, muitas vezes, amedrontada e ameaçada de morte. Jesus animou o povo a não ter medo.

O Reino deve ser o centro de toda a nossa preocupação. Ele pede uma vida onde não haja acumulação de bens e sim partilha, para que todos tenham o necessário. Ele é a nova convivência fraterna, em que as pessoas se sentem responsáveis umas pelas outras. Essa maneira de viver o Reino ajuda a entender melhor as parábolas dos passarinhos e das flores (Mt 6,25-30), pois, para Jesus, a providência divina passa pela organização e providência fraterna.

Buscar o Reino e a sua justiça é aceitar Deus como Pai e ser irmãos e irmãs uns dos outros. Isso traz consigo uma nova ordem econômica e social, em que já não é necessário acumular. Tudo estará organizado a partir da solidariedade e da partilha.

Jesus contou a parábola de Lázaro, o pobre, sentado à porta do rico (Lc 16,19-31). Os únicos amigos do pobre eram os cachorros que lhe lambiam as feridas. Jesus denunciou o contraste enorme entre rico e pobre e mostrou que Deus pensa o contrário. Na parábola, o pobre morreu e foi acolhido por Deus. Ele se chamava Lázaro. Jesus nos apresentou ainda o rico, sem nome, e Abraão, o pai da humanidade. Abraão representa o pensamento de Deus. O rico sem nome representa a ideologia dominante da época. Lázaro representa o grito calado dos pobres do tempo de Jesus, do tempo de Lucas e de todos os tempos!

Pode-se observar os dois extremos da sociedade: de um lado, a riqueza agressiva; do outro, o pobre sem recurso, sem direitos, coberto de úlceras, sem ninguém que o acolha, a não ser os cachorros que lhe lambem as feridas. A porta fechada do rico separa os dois. A mudança (Lc 16,22) revelou a verdade que estava escondida. O pobre morreu antes do rico.

É um aviso aos ricos. Enquanto o pobre está vivo à porta, ainda há salvação para o rico.

No texto em questão, Jesus abriu uma janela para o outro lado da vida, o lado de Deus. Não se trata do céu. É o lado verdadeiro da vida que só a fé enxerga e que o rico, sem fé, não percebia. O rico sem nome era um judeu piedoso, chamado até de *filho* por Abraão. Abraão, na parábola, dirigiu a palavra a todos os ricos vivos. Enquanto vivos, eles ainda tinham chance de se tornarem filhos e filhas de Abraão, se soubessem abrir a porta para Lázaro, o pobre, o único que em nome de Deus podia ajudá-los. O rico queria um milagre de ressurreição! A única ressurreição é a de Jesus. Jesus ressuscitado vem até nós na pessoa do pobre, dos sem-direito, dos sem-terra, do sem-comida, dos sem-casa, dos sem-saúde.

Mais tarde, a Galileia será o lugar onde Jesus ressuscitado se manifestará aos discípulos (Mt 28,16), para confiar-lhes a missão. Os primeiros discípulos de Jesus são chamados da *seita dos nazarenos* (At 24,5). Apesar da tradição nazarena do Evangelho e da Igreja primitiva, apesar da triste história da monarquia davídica, a tentação permanente da Igreja é a de configurar-se como Reino de Rei Davi e converter-se numa Igreja davídica.

A Igreja desejada por São João XXIII no Concílio Vaticano II foi uma igreja *pobre para os pobres*. Hoje o bispo de Roma, Francisco, propõe uma Igreja pobre e dos pobres, seguindo esse sonho do João XXIII. É uma Igreja que anuncia o perdão e a misericórdia de Deus Pai, onde os pastores vão às periferias existenciais com o *cheiro das ovelhas*, onde se respeite a piedade do povo pobre e simples, uma Igreja sem pompa nem triunfalismos, profética diante das injustiças e serviçal.

Tudo que se diz sobre a Igreja pode ser refletido sobre a vida de uma fraternidade que se propõe a seguir Jesus. As fraternidades nascidas dos vários carismas foram sempre evangélicas, nazarenas, simples, pobres, periféricas e afastadas dos ventos do poder social e eclesial. Foram marcadas pela vida em comunhão fraterna, abertas a novas fronteiras e com um senso crítico em fidelidade criativa, testemunhal, transparente, centrada no seguimento de Jesus de Nazaré; forma sempre *profecias nazarenas* diante das tentações de uma *Igreja davídica*.

Com o tempo as fraternidades foram sucumbindo à tentação davídica: poder e influência social e eclesial, riqueza e abundância, ostentação, excessiva institucionalização, crescimento numérico ambíguo, ativismo, perda de mística, maior atenção aos setores mais abastados e aburguesados do que aos pobres, fraternidades funcionais e pouco *fraternas*, nível de vida acomodado, meios abundantes para cumprir sua missão.

Como é bonito entrar num processo de conversão evangélica para se tornar cada vez mais fraternidade com estilo nazareno de vida e missão. É um momento de *kairós* e *kénosis*: de muita graça e despojamento dos velhos esquemas e tradições. Para que essa mudança possa acontecer em profundidade, é preciso uma conversão pessoal e coletiva da fraternidade a Jesus de Nazaré, à sua vida e à sua missão da compaixão e misericórdia.

Depois de trinta anos de uma vida camponesa em Nazaré da Galileia, Jesus partiu para uma vida missionária de peregrino itinerante nas estradas e povoados da Galileia (Samaria e Judeia). O batismo no rio Jordão foi a sua consagração missionária como profeta e peregrino dos pobres. Logo após, Jesus foi conduzido pelo Espírito através do deserto. Experimentou as provações que vão marcar toda a sua missão de Servo de Javé (Is 42). O sistema do mal, promotor de uma sociedade empobrecida de famintos e de sedentos da verdadeira justiça do Reino, apresentou a Jesus as melhores estratégias para obter sucesso. Assim, ele devia manter-se num padrão de vida privilegiado. Mas, para Jesus, porém, a fome e a sede dos pobres preocupavam!

O coração missionário de Jesus foi ungido e trabalhado pela mística da *kénosis,* isto é, pelo despojamento e esvaziamento de si. Ele escolheu o *caminho descendente da pequenez e pobreza.* Depois de entrar no mistério e na mística do deserto, o sistema convida Jesus a assumir outro estilo de caminhada.

Por trás dessas provações e tentações foi nascendo uma nova luz: *as opções missionárias de Jesus de*

Nazaré. Jesus propôs uma fraternidade de vida! Isso faz lembrar a profecia de Isaías:

> O povo que andava nas trevas viu uma grande luz, e uma luz brilhou para os que habitavam um país tenebroso... Porque nasceu para nós um menino, um filho nos foi dado: sobre o seu ombro está o manto real, e ele se chama: Conselheiro Maravilhoso, Deus Forte, Pai para sempre, Príncipe da Paz. Grande será o seu domínio e a paz não terá fim sobre o trono de Davi e seu reino, firmado e reforçado com o direito e a justiça, desde agora e para sempre (Is 9,1.5-6).

Primeira opção missionária de Jesus: a partilha do pão – Lc 4,1-4

A primeira opção missionária de Jesus tem como base a pequenez evangélica – ser pobre no Espírito, vivendo a partilha providente de vida, dentro da mística exodal:

> Cada um recolha o quanto lhe basta para comer conforme o número de pessoas na sua tenda. Assim, fizeram: uns recolheram mais, outros menos. Não sobrava para quem havia recolhido mais, nem faltava para quem

havia recolhido menos. Ninguém guarda para a manhã seguinte (Ex 16,16-19).

Jesus fala da necessidade de voltar e alimentar-se primeiro do pão da Palavra de Deus, que sempre é convite para a partilha solidária.

Essa opção nasce da bem-aventurança da pobreza evangélica – *pobres no Espírito de Jesus de Nazaré* (Lc 6,20; Mt 5,3). É o mesmo Espírito que atuava em Jesus. As forças do mal das sucessivas gerações se acumulam e permanecem como uma forma de egoísmo coletivo, que vigora em uma sociedade onde sistemas desumanos e mecanismos injustos marginalizam e empobrecem a maioria do povo. O coração humano endurece e torna-se desumano. A força do pecado pessoal que existe dentro de nós e o mal que há no ambiente nos tornam insensíveis ao projeto de Deus.

Nessa *primeira provação* ou *tentação*, o sistema do mal oferecia a Jesus abundância de pão para satisfazer sua própria fome (Lc 4,2-4). É a posse das coisas materiais – ter tudo para si. A procura da riqueza individual e exclusiva é oposta à mística do Reino de

Deus: "Ninguém pode servir a dois senhores. Porque, ou odiará a um e amará o outro, ou será fiel a um e desprezará o outro. Vocês não podem servir a Deus e as riquezas" (Mt 6,24).

Jesus propôs a partilha total de vida e bens materiais. Ele ensinava os discípulos e discípulas o despojamento dos bens:

> Não fiquem preocupados com a vida, com o que comer, nem com o corpo, com o que vestir. Olhem os pássaros do céu: eles não semeiam, não colhem, nem ajuntam em armazéns. No entanto, o Pai que está no céu os alimenta (Mt 6,25-26).

Os relatos bíblicos da multiplicação dos pães e peixes têm por finalidade reforçar a mística da partilha (Jo 6,1-15). As coisas tendem a se *multiplicar* quando são partilhadas (At 2,42-47).

Hoje a comensalidade é desafiada pelo projeto neoliberal que visa à globalização da economia e do mercado. O planeta inteiro está tomado pela ânsia de *ter mais, viver mais, consumir mais, dominar mais*, manipulando através da prepotência do poder. Há um único sistema de mercado que cria um único modelo de vida. O resultado é a morte lenta da maioria para manter uma pequena elite na economia da prosperidade.

Surgiu um *novo evangelho do neoliberal*. Pessoas são objetos do mercado. Existem para manter a *sagrada prostituição* econômica, social, política e religiosa. Os tais *shoppings centers* são sinais dos *templos* desse deus neoliberal. Esse projeto neoliberal do mercado exige um discipulado baseado na insensibilidade social para se manter vivo. O que conta não é o bem das pessoas, mas o lucro da elite. Para sobreviverem, eles precisam entrar nesse jogo de competição violenta e vicioso, adaptando-se a leis do mercado. Devem investir pesadamente em *marketing* (propaganda intensiva), visando despertar necessidades para o consumidor.

Uma verdadeira opção pelo povo pobre e sofredor passa pela encarnação e participação no mundo massacrado e prostituído por um sistema baseado na avareza e ganância financeira. Ser pobre no Espírito de Jesus é carregar no coração e na vida o grito angustiante e o clamor pavoroso dos mais pobres e menos amados. Uma vida segundo o Evangelho de

Jesus exige uma ascese de despojamento do instinto de posse, do domínio sobre as coisas materiais e da satisfação dos desejos desordenados.

Um discipulado missionário é testemunha de Jesus quando abarca a simplicidade da pequenez evangélica. Ela qualifica nossa vida levando-nos ao essencial do seguimento nos passos de Jesus. Ela se opõe a poder, prestígio, fama, status, aparências, e faz com que um discípulo ou discípula de Jesus se torne solidário com os últimos da sociedade. Viver a simplicidade da pequenez é saber a justa medida de todas as coisas. Isso nos leva a tratar as pessoas com o devido cuidado e atenção que elas merecem, e a quebrar barreiras na convivência fraterna, proporcionando-nos maior aproximação para um bem-viver mais humano e saudável.

Segunda opção missionária de Jesus: a fraternidade universal – Lc 4,5-8

Jesus nascido como irmão universal assume uma comunhão de "fraternura", chamando-nos a uma pertença e permanência na nova fraternidade do

Reino. No texto da videira e dos ramos (Jo 15,1-17), Jesus explicita esse seu desejo e sonho. É o caminho da *kénosis*, do esvaziamento e despojamento radical, para que sigamos os passos do Mestre com autenticidade.

Na *segunda provação*, o sistema do mal oferecia a Jesus todos os reinos da terra, se ele se ajoelhasse diante dele, reconhecendo-lhe como príncipe deste mundo (cf. Lc 4,5-8). É a idolatria e ambição do poder que podem atingir o coração dos ricos e dos pobres, incluindo os próprios discípulos de Jesus:

> Houve entre os discípulos uma discussão para saber qual deles seria o maior. Jesus disse: "Quem receber esta criança em meu nome estará recebendo a mim. E quem me recebe estará recebendo aquele que me enviou. Aquele que é o menor entre vocês, esse é o maior" (Lc 9,46-54).

A Jesus foi oferecido *dinheiro* como sinônimo de poder, referindo-se aos reinos do mundo; *segurança* como a autoridade e a glória dos reinos; o *discipulado* como adoração ao sistema. Essa provação é uma tentativa de buscar prestígio conforme a posição social. Mais tarde, Jesus fez uma crítica forte contra a maneira de viver dos fariseus e escribas (Mt 23,1-36).

Jesus foi tentado a entrar no jogo sujo da politicagem de seu tempo, a usar sua autoridade e popularidade de *reinar* à maneira da política da corte daquele tempo. Jesus responde ao sistema reforçando sua opção de uma vida missionária inserida no mundo dos empobrecidos. A política de Jesus é a da caminhada exodal-pascal, animada pela força libertadora e inspiradora da Palavra de Deus. É fraterna e participativa. Jesus vive uma verdadeira autenticidade! É um fermento de amor que faz acontecer a nova justiça do Reino, que foi bem proclamado nas bem-aventuranças (Mt 5,1-12; Lc 6,20-26).

O sistema neoliberal não precisa mais dos povos das nações mais pobres para usar como mão de obra barata. Excluídos do sistema, os pobres começam a perder seu direito à cidadania. O sistema hoje não tem interesse nenhum em satisfazer necessidades básicas como emprego, salário justo, saúde, educação, moradia, terra. Há um processo de debilitação e fragilização e eliminação dos pobres. É a famosa ideologia do mais fraco contra o mais forte, como encontramos com Golias e Davi (1Sm 17,1ss).

Quando abraçamos a proposta de Jesus de vivermos como irmãos e irmãs em fraternidade, precisamos discernir bem nossas opções de vida. Viver fraternalmente é lutar contra os ídolos da sociedade neoliberal. É necessário desmascarar essas ideologias enganadoras: riquezas ostensivas, tanto pessoais como coletivas; consumismo materialista; construções faraônicas luxuosas que não têm espaço para quem segue o Mestre de maneira radical. Jesus se encontra com os *desvividos* (cf. Mt 25,37-40). Como fraternidade nos passos de Jesus de Nazaré, queremos viver uma *paixão pelo Reino*.

Essa mística libertadora tem sua base em dois símbolos da caminhada exodal dos pobres hebreus: o *pão nosso* partilhado (Ex 16,16-21) e a *água viva* que brota da rocha da providência (Ex 17,1-17). A pequenez, o oposto da grandeza e do prestígio é o caminho do Evangelho de Jesus. Isso exige um despojamento de falsos valores para abraçar uma autenticidade evangélica.

Terceira opção missionária de Jesus: a compaixão solidária – Lc 4,9-12

Jesus, como peregrino itinerante, chama a todos para se unir numa solidariedade baseada na compaixão e misericórdia. É o *caminho descendente de amor* que ele assumiu desde sua encarnação e presença em Nazaré da Galileia (cf. Lc 2,39-40). É o *caminho descendente* das primeiras comunidades cristãs do Movimento de Jesus. Esse caminho é marcado pelo amor sem limites vivido com compaixão e misericórdia.

Jesus assume a compaixão solidária, deixando seu coração ser aberto e acolhedor dos mais pobres e menos amados. Ele é a porta que se abre e o Bom Pastor que guia seu povo pelos caminhos da vida (Jo 10,1-18). A solidariedade começa quando deixamos o outro entrar na nossa vida, reconhecendo-o como próximo. Supõe o estar aberto a dar e receber, com disposição e disponibilidade de deixar-se enriquecer pelo outro e uma capacidade de dar e doar-se para enriquecer o outro pela fraternura do amor.

Abraçar a solidariedade hoje contradiz e denuncia a visão neoliberal da pessoa humana que coloca em primeiro plano os interesses do mercado, a lógica da eficácia e a lei da competividade excludente. A compaixão solidária é possível quando o Evangelho é assumido como referencial radical da nossa vida.

Na *terceira provação* o sistema sugeriu a Jesus que pulasse do pináculo do Templo com um gesto espetacular que iria fazer com que o povo acreditasse nele (Lc 4,9-12). É a manipulação do religioso, da cabeça e do coração do povo através de truques falsos e mentirosos. Hoje a sedução continua! Somos conduzidos pelos meios de comunicação e redes sociais a adotar um estilo de vida hedonista, consumista, individualista, sem moral e sem ética.

Jesus, como Bom Samaritano (Lc 10,27-35), ensina o caminho da solidariedade fraterna, enraizada na mística da compaixão e misericórdia. Ele deixou-se conduzir pelo Espírito Santo. Assim, dele vai brotando uma força carismática, libertadora e profética que impulsiona a abraçar sua vida de servo e irmão da humanidade. Ao proclamar a profecia de Isaías na sinagoga de Nazaré (Is 61,1-2; Lc 4,18-19), Jesus assume publicamente sua unção profética como *servo e luz das nações* (Is 49,6). A compaixão e misericórdia serão a marca de seu ministério missionário. Pelas suas opções missionárias, Jesus nos abre um caminho novo para o seguimento missionário. As opções de Jesus são valores por meio dos quais podemos orientar nossa vida e missão.

A profunda compaixão pelos pobres e oprimidos sempre moveu Jesus na sua missão de peregrino itinerante. Para Jesus, a fé pode realizar coisas até impossíveis! Ela faz nascer dentro do ser humano um poder reinocêntrico que está além de nós. Jesus lutava para que seus discípulos entrassem na verdadeira mentalidade do Reino. Exigia uma *metanoia*, mudança de mente, de coração, e uma vida comprometida com suas opções missionárias em vista da construção do Reino.

Fazendo nossas as opções de Jesus, vai acontecendo uma reorientação radical em nossa vida: ou fazemos do Reino e de seus valores a orientação fundamental de nossa vida, ou vamos assumindo o sistema deste mundo. O Reino de Jesus é um reino de amor serviçal e fraterno. Ele faz presença e luz através da compaixão e misericórdia. Ele nos protege contra a contaminação das preocupações e dos valores mundanos.

Quarta opção missionária de Jesus: o abandono oblativo – Lc 4,13; 23,46

Como servo sofredor, Jesus assume uma vida de abandono oblativo ao Pai e uma fidelidade à cruz do povo mais pobre e menos amado. É o último gesto de amor de Jesus, dado na cruz de sua oblação.

Despojado e rejeitado pelos homens, Homem do sofrimento e experimentado na dor. Todavia, eram as nossas doenças que ele carregava, eram as nossas dores que ele levava em suas costas. Foi oprimido e humilhado, foi preso, julgado injustamente. O meu servo justo devolverá a muitos a verdadeira justiça. Ele carregava os pecados de muitos e intercedeu pelos pecadores (Is 53,3ss).

No mundo de hoje, marcado pela pobreza e exclusão, aprendemos a viver e a conviver com coração novo e um espírito novo (cf. Ez 36,25-28), moldados pelo reinocentrismo das bem-aventuranças (cf. Mt 5,1-12). É uma escola de fé na vida! Quando *descobrimos e entramos no submundo dos infernos de hoje* e abraçamos, com coerência, a presença nesse *caminho descendente* assumido por Jesus, nossa verdadeira conversão tem início! É a base de todo discipulado missionário. Descobrir a mística evangélica do mundo dos pobres torna cada pessoa mais humilde, mais pobre e mais honesta. Conviver, conversar, caminhar juntos são dimensões de uma vida nos passos de Jesus de Nazaré.

Lucas, no seu Evangelho, nos apresenta essa *quarta provação* (Lc 4,13). O povo, os soldados e um dos presos crucificados com Jesus o convidaram a descer da cruz e salvar-se! É uma tentação para deixar de assumir as consequências de sua encarnação kenótica – sendo como nós em tudo, menos no pecado. Seria adotar uma postura de um messias político, milagreiro e prepotente. Mas a estrutura do messianismo de Jesus passa pelo serviço solidário e fraterno. Sua vida consistia em servir e amar a partir da compaixão e misericórdia.

O seguimento de Jesus significa uma comunhão de destino com Jesus, na fidelidade a Deus e no que isso supõe de renúncia e privações, de sofrimentos, oposições e desprezo por parte dos outros. É necessária uma *decisão consciente sobre o significado do seguimento de Jesus*. É necessário que a pessoa avalie se realmente deseja segui-lo (Lc 14,28-32). A resposta de Jesus foi seu grito de abandono oblativo: "Pai, em tuas mãos, entrego o meu Espírito" (Lc 23,46).

Ressonâncias evangélicas para uma vivência das opções de Jesus em nossa vida de cada dia

Abraçar a simplicidade na pequenez

O povo de Jesus vivia, em Nazaré da Galileia, uma grave crise socioeconômica. Enquanto crescia a riqueza nas cidades de Séforis, a capital da Galileia, e em Tiberíades, lugar preferido por Herodes, nas aldeias aumentava a fome e a miséria. Os camponeses ficavam sem terra enquanto os proprietários de terra construíam celeiros cada vez maiores e mais bonitos. Mais tarde, Jesus faz uma referência a tal ganância: "Tenham cuidado com qualquer tipo de ganância. Porque, mesmo que alguém tenha muitas coisas, a sua vida não depende de seus bens" (Lc 12,13-15).

Um dos pontos mais chamativos na vida de Jesus foi a lucidez com que soube desmascarar o poder desumanizador das riquezas injustas. Daí seu grito profético: "Não podem servir a Deus e ao dinheiro" (Mt 6,24). Não podemos ser fiéis a um Deus Pai providente que busca justiça, solidariedade e fraternidade para todos e ao mesmo tempo viver dependentes e aprisionados às riquezas. O ídolo-dinheiro faz esquecer nossa condição fraterna e nos leva a romper a solidariedade com os outros, principalmente com os mais pobres. A raiz profunda está em que as riquezas despertem em nós o desejo insaciável de ter sempre mais. Então cresce a necessidade de acumular e possuir sempre mais. É querer abraçar uma vida evangélica, mas, ao mesmo tempo, continuar sonhando e buscando as riquezas e ídolos do sistema neoliberal.

A pequenez fraterna caracteriza e qualifica nossa vida em fraternidade. Fundamenta-se na maneira de ser do próprio Deus, manifestada na pessoa de Jesus de Nazaré:

> Ele tinha condição divina e não considerou o ser igual a Deus como algo a que se apegar ociosamente. Mas esvaziou-se a si mesmo, e assumiu a condição de servo (escravo); humilhou-se e foi obediente até a morte, e morte de cruz (Fl 2,6-8).

Jesus fez-se pobre, humilde, despojado – o *menor* – e ensinou a seus discípulos e discípulas esse modo de ser. Traduziu em gestos bem concretos o lava-pés, muito contemplado por Francisco de Assis. Pequenez significa humildade, simplicidade, serviço e despojamento. Ela se opõe a poder, prestígio, fama, status, aparência! É uma maneira de passar despercebido. A simplicidade da pequenez nos faz solidários com os últimos da sociedade. Ela é um tesouro precioso para os nossos tempos.

Abraçar uma autenticidade evangélica

Inspirados na pessoa de Jesus de Nazaré e em seu projeto missionário de compaixão e justiça a partir das bem-aventuranças (Mt 5,1-12), somos convidados a viver com *autenticidade*, como prova da simplicidade evangélica. É um novo modo de viver o discipulado de Jesus nas *periferias existenciais* de hoje. Esse é um dos desejos fortes e marcantes do Papa Francisco. A Palavra de Deus sempre nos conduz e nos agracia com a simplicidade e autenticidade.

Autenticidade é algo que nos conduz à verdade, ao belo e ao amor. Quem se renega a si mesmo não chega à verdade. Quem despreza a simplicidade e a humildade não conhece a verdade. Quem é autêntico tem seus passos conduzidos pelo Espírito de Deus.

Irmão Carlos de Foucauld, um bem-aventurado que abraçou uma presença missionária no deserto do Saara, foi um homem muito apaixonado por Jesus de Nazaré. Ao se converter a Jesus, ele se tornou um peregrino pobre na mística e dinâmica das bem-aventuranças (Mt 5,1-12). Numa vida contemplativa e missionária no meio dos tuaregues (tribos do deserto do Saara), Carlos vivia a autenticidade evangélica até as últimas consequências – até a cruz de seu assassinato e morte. Sua autenticidade foi uma fidelidade radical ao Pai através do abandono oblativo e da solidariedade fraterna aos pobres com quem vivia com amizade e bondade.

Abraçar uma amizade verdadeira

A amizade é um dos mais belos dons da nossa vida. Toda amizade necessita de tempo, calma e muita sensibilidade para se desenvolver. Ninguém começa a ter confiança em uma pessoa sem conhecimento e convivência mútua. Os amigos e as amigas que Deus coloca em nossa vida são instrumentos para que cresçamos no amor.

A amizade é como o sol que ilumina a vida das pessoas. Ela nos ilumina para que vivamos na presença de Deus de maneira agraciante. Ela ainda nos fortalece e nos ajuda a enfrentar os conflitos mais profundos da nossa vida. Por meio das nossas amizades, descobrimos mais sobre o significado do amor de Deus por nós ao exemplo de Jesus.

Viver a amizade verdadeira exige seriedade, honestidade, diálogo e comunicação. A amizade cresce quando nossa mente e coração estão bem abertos, pois é facilitada a disponibilidade de uma caminhada fraterna. Quando somos abertos e sinceros com nossos amigos e amigas, aprendemos a conviver e até a celebrar nossas diferenças. Quando o diálogo brota de um coração que ama, podemos abrir o coração diante dele também sem medo.

Buscamos a fidelidade na amizade. Nisso está o valor da verdadeira amizade. Fidelidade significa *firmeza e certeza de propósitos, atitude justa, devoção de alguém a uma pessoa ou a uma causa.* Tudo é vivido pela confiança, sinceridade e lealdade verdadeira (Eclo 6,5-17; 37,1-6).

Uma vida fraterna confortavelmente instalada em estruturas aburguesadas dificilmente encontrará lugar para uma amizade evangélica e à maneira de Jesus. A verdadeira amizade fraterna nos dá forças e nos sustenta para viver e conviver com alegria. Na espiritualidade de Irmão Carlos de Foucauld, podemos assim *gritar o Evangelho de Jesus pela nossa vida na alegria de coração!*

Abraçar a pobreza evangélica

Os pobres são o sacramento de Jesus. Na unção do Corpo de Jesus (Jo 12,1-8) encontramos a frase: "Vocês terão sempre os pobres com vocês, mas eu não vou estar sempre com vocês". É uma frase aberta de Jesus, tirada do livro do Deuteronômio, que não deixa dúvidas quanto ao compromisso: "Veja bem! Não faltam indigentes na terra. É por isso que eu ordeno a você: abra a mão em favor do seu irmão, do seu pobre e do seu indigente na terra onde você está" (Dt 15,11).

É tempo de nós nos arrependermos de usar Deus para satisfazer nossa ambição material. Precisamos aprender a viver com simplicidade e generosidade, ajudando aqueles que não têm o suficiente para sua subsistência diária. Vivemos numa estrutura consumista, muitas vezes alienados da realidade do sofrimento de milhares de pessoas empobrecidas. A sociedade de consumo nos condiciona e nos leva a desejar possuir cada vez mais coisas, convencendo-nos de que, tendo mais, seremos mais. Tantas pessoas ficam amarradas a contas, crediários, consumo de supérfluos, símbolos de status, dominadas pela ambição de ter mais e se encontram sempre insatisfeitas.

Jesus, na sua pobreza voluntária, nos liberta dos condicionamentos da sociedade de consumo e nos torna dispostos a confiar a ele toda a nossa vida, dons, talentos, recursos e tempo para servir com alegria os nossos irmãos e irmãs. Contemplemos a vida de Jesus: ele abriu mão de seus direitos e privilégios, esvaziou-se por amor a nós e veio para servir e não para ser servido.

Indo além das palavras bonitas, o desafio permanente que a pobreza apresenta aos discípulos de Jesus é de ir além de simplesmente falar de amor, compaixão e cuidado, para viver com atos de compaixão e bondade. As bênçãos de Deus precisam fluir através de nós para produzir diferença na vida dos pobres (Tg 2,15-17). Um verdadeiro discípulo ou discípula de Jesus não pode tratar com indiferença as desigualdades materiais e a manifestação de poder e privilégio que atingem a tantos e leva ao empobrecimento de outros. O Evangelho nos convida à solidariedade com todos os que sofrem e a partilhar as boas-novas de Jesus para melhorar a vida de todos.

Abraçar com humildade o último lugar

A humildade é um processo de esvaziamento de si mesmo, que poderia ser comparado a um banho de vapor. Tal processo tem vários níveis e diversas dimensões, mas sua meta é a disponibilidade de nos espelharmos em Jesus de Nazaré, que se esvaziou de sua própria divindade e fez presença amorosa entre nós (Jo 1,14).

A humildade transforma a pessoa para que seja mais humanizada e amadurecida espiritualmente. É a grande revelação do mistério de Deus-Amor: no esvaziamento de si mesmo, damos espaço para a atuação agraciante de Deus em nossas vidas. É uma experiência de simplicidade e sinceridade verdadeira, alimentando a vida nova em nós. Nós nos tornamos mais livres para aprender de Jesus o caminho de amor libertador: Aprendam de mim porque sou manso e humilde de coração (cf. Mt 11,29). Há uma purificação e pacificação que resultam na vida de quem abraça uma humildade evangélica.

Um exemplo belíssimo de humildade se contempla na parábola dos lírios do campo (Mt 6,25-34). Eles vivem no seu lugar – seu *espaço sagrado* –, lançando suas raízes na terra e sugando só o necessário para manter sua vida e beleza. A sabedoria de uma vida humilde é ser e viver como fomos sonhados e criados por Deus para ser. O lírio vive no seu lugar – o *último lugar* – para que seja capaz de crescer e testemunhar a beleza de Deus Criador!

Pelo Concílio Ecumênico Vaticano II e pelas Conferências Latino-americanas de Medellín, Puebla, Santo Domingos, Aparecida e, ainda, pela presença dinâmica, carismática e profética de Papa Francisco, está havendo uma mudança radical do lugar social da Igreja para espaços mais pobres e periferias existenciais. Somos chamados a viver a mística humilde do último lugar de uma *Igreja em saída*.

CAPÍTULO 2

A mistagogia do caminho das bem-aventuranças

A mistagogia evangélica

A mistagogia é uma pedagogia para orientar as pessoas na vida de discipulado cristão. É um processo refletivo e contemplativo para aprender a deixar-se conduzir pelo Espírito de Jesus de Nazaré. A palavra *mistagogia* vem do grego e significa *a pedagogia do mistério*. O pedagogo primeiro é o Espírito Santo com a missão de inspirar e conduzir todos os discípulos e discípulas de Jesus à verdade da Palavra de Deus. No Evangelho joanino, descobrimos que a missão mistagógica do Espírito é tripla: "desmascarar o sistema do mundo; encaminhará para toda a verdade e manifestará a glória do Senhor" (Jo 16, 8.13-14).

São Paulo nos recorda que a comunidade reunida em torno de Jesus Ressuscitado escolhe membros para facilitar a mistagogia do discipulado:

> Existem dons diferentes, mas o Espírito é o mesmo; diferentes serviços, mas o Senhor é o mesmo; diferentes modos de agir, mas é o mesmo Deus que realiza tudo em todos. Cada um recebe o dom de manifestar o Espírito para a utilidade de todos. A um, o Espírito dá a palavra de sabedoria; a outro, a palavra de ciência segundo o mesmo Espírito; a outro, o mesmo Espírito dá a fé; a outro ainda, o único e mesmo Espírito concede o dom das curas; a outro, o poder de fazer milagres; a outro, a profecia; a outro, o discernimento dos espíritos; a outro, o dom de falar em línguas; a outro, o dom de interpretá-las. Mas é o único e mesmo Espírito quem realiza tudo isso, distribuindo os seus dons a cada um, conforme ele quer (1Cor 12,4-11).

A mistagogia é uma espiritualidade que nasce da leitura contemplativa da Palavra de Deus para nos iluminar e inspirar a pormos nossas pegadas nos passos de Jesus. O salmista escreve: "Tua Palavra é lâmpada para os meus pés, e luz para o meu caminho"

(Sl 119,105). Toda mistagogia cristã tem como centro a pessoa de Jesus de Nazaré e sua vontade de fazer das nossas vidas pequenos *Evangelhos vivos*! Jesus, na sua pedagogia discipular, sempre relembrava seus seguidores: "Eu sou a Luz do mundo! Quem me segue não andará nas trevas, mas terá a luz da vida! Quem guarda a minha Palavra, encontrará a verdade e a verdade o libertará" (Jo 8,12.31-32).

Mateus nos faz pensar: "Vocês são a luz do mundo para fazer brilhar sua vida para todos os que estão em casa. Assim, que a luz de vocês brilhe diante do povo, para que ele veja as boas obras que vocês fazem e louve o Pai de vocês que está no céu" (Mt 5,14-16). Ser luz nos passos de Jesus é abraçar o caminho das bem-aventuranças (Mt 5,1-12), e as opções missionárias de Jesus de Nazaré (Lc 4,1-13).

O caminho das bem-aventuranças

O Evangelho das bem-aventuranças de Jesus é um projeto de vida e missão. É bem-aventurado e feliz quem consegue colocar sua vida, seus valores e seu agir dentro da dinâmica e dos critérios de Jesus. Ele propôs as bem-aventuranças como as atitudes básicas e gestos concretos a serem vividos para ser seu discípulo e sua discípula, estabelecendo uma profecia da inversão total dos critérios humanos em relação à felicidade. Ser sal da terra, luz do mundo e fermento na massa é a missão de um discipulado missionário a partir das bem-aventuranças (Mt 5,13-14; 13,33).

"Quando Jesus viu as grandes multidões, subiu uma montanha e sentou-se. Os seus discípulos e suas discípulas chegaram perto dele. Ele começou a mostrar-lhes o caminho do Nazareno" (Mt 5,1-12). O Sermão da Montanha é o grande manifesto do caminho da nova aliança inaugurado por Jesus. Jesus Mestre se dirige a todas as pessoas, fraternidades e comunidades de todos os tempos. Viver as bem-aventuranças é ser fermento de uma nova sociedade, aprofundando as opções missionárias de Jesus de Nazaré.

A palavra *bem-aventurada* tem na sua raiz hebraica o sentido de *pôr-se a caminho, tomar uma direção ou rumo na vida*. Ela visa à felicidade que nasce ao encontrar seu centro espiritual.

Jesus, ao proclamar as bem-aventuranças, revela as opções profundas de seu coração missionário. Elas criam uma espiritualidade missionária a partir da simplicidade evangélica e isso tem sua fonte inspiradora na experiência humana da presença de Deus em nossas vidas. Jesus fez o caminho descendente ao mundo dos mais pobres para penetrar tudo com seu imenso amor, até os espaços mais escondidos e os corações mais endurecidos. Jesus é fermento do amor do Pai no coração da humanidade. É um caminho marcado pela ternura e compaixão. A mística de Nazaré é a nossa maneira de partilhar a vida pobre, sendo cada vez mais como Jesus, irmão universal.

Jesus desceu para poder comungar a humanidade ferida e machucada, e lá descobrir com o povo sofredor como plantar as sementes de mais vida e esperança. Pelo caminho do nazareno, permitimos que o Espírito de Jesus penetre nossas feridas, nossas fraquezas, nosso corpo, nossa vida, nossos sentimentos – enfim, toda a nossa fragilidade. O *caminho* requer uma mudança de coração e mentalidade – *uma metanoia para a minoridade* –, pois exige uma comunhão de coração para coração, que é um processo demorado, porque amadurecemos lentamente no amor. É preciso que tenhamos um coração novo e espírito novo – uma consciência evangélica da realidade – para que o Espírito possa penetrar e nos inspirar uma vida mais evangélica.

Para ser e viver com simplicidade hoje, é preciso escutar e ler bem os sinais de nossos tempos, pois os ídolos neoliberais da globalização são muito fortes e atraentes: o consumismo desenfreado; religiões alienantes de mãos dadas com a comercialização do sagrado; a exclusão da maioria para manter viva uma pequena elite. Tudo em nome de um deus neoliberal – o dinheiro e o mercado. Simplicidade é a pureza de coração, uma liberdade para viver a amar longe dos ídolos.

Deus se torna unificador em nossa vida, tanto assim, que a pessoa desejará somente o Reino. Cria a mística do abandono total. Há um crescente comprometimento com o essencial e o necessário: libertar-se da intoxicação das coisas materiais, tornando-se mais sensível às coisas do Espírito; disciplinar-se para buscar sempre, em primeiro lugar, o Reino de Jesus, e, de seu Reino, permitir que Deus remaneje nossas prioridades e opções de vida.

Somos chamados a viver com radicalidade o Evangelho de Jesus. Nos *porões escuros* do sofrimento e da exclusão humana, somos chamados a viver gestos concretos de fraternidade solidária. A vida missionária tem como base um encontro cordial e vivencial das pessoas. Ela é uma entrega total do nosso ser a Deus, colocando-nos como pessoas entregues ao projeto de Deus. Começamos a enxergar para além dos nossos limites, nossas fronteiras, nossas seguranças ideológicas e autossuficiência e prepotência institucionais.

Seguir Jesus é abraçar o caminho que Jesus percorreu. Aprendemos dele como amar mais. Jesus nos ensina a esquecermos de nós mesmos e transportarmo-nos para os outros, pois ninguém tem maior amor do que aquele que dá a vida por seus amigos.

Deus, em Jesus de Nazaré, se fez irmão e servidor da humanidade. Oferecemos nossa vida e missão na espiritualidade das bem-aventuranças do Reino. No seguimento de Jesus Cristo, aprendemos a praticar as bem-aventuranças do Reino, como o estilo de Jesus: seu amor e obediência filial ao Pai, sua compaixão diante da dor humana, sua aproximação com os pobres e pequenos, sua fidelidade à missão recebida, seu amor serviçal até o dom de sua vida.

Hoje, comunidades e fraternidades de vida evangélica procuram ser mais fiéis ao pequeno projeto das bem-aventuranças anunciado por Jesus. Elas descobrem nas bem-aventuranças a raiz de toda a mística e ética evangélicas. Mas, sobretudo, nas bem-aventuranças encontram uma bela síntese que revela em plenitude o verdadeiro Deus que queremos seguir. Antes de ser um conjunto de propostas ético-evangélicas, as bem-aventuranças nos levam a conhecer a Deus.

Uma vida evangélica animada pelas bem-aventuranças faz nascer a humildade profunda, a *kénosis*, ou seja, o despojamento radical através de uma vida pobre. Fortalece um estilo de vida na mística da pequenez evangélica. Jesus convida sempre seus discípulos e discípulas a estarem com ele. Um dia, vendo o sofrimento dos empobrecidos pelo sistema político do templo e pelo sistema religioso dos fariseus, Jesus disse:

Venham para mim todos vocês que estão cansados de carregar o peso do seu fardo, e eu lhes darei descanso. Carreguem a minha carga e aprendam de mim, porque sou manso e humilde de coração, e vocês encontrarão descanso para suas vidas. Porque a minha carga é suave e o meu fardo é leve (Mt 11,28-30).

As bem-aventuranças são nove pistas concretas da nossa caminhada no amor. Elas são nossa maneira de ser fermento na massa, inspirada na vida das primeiras comunidades de vida (At 2,42-47).

Jesus sobe à montanha e com ele a multidão. A montanha é um espaço sagrado, ponto de encontro entre Deus e as pessoas. Jesus leva os seus discípulos com ele. Nesse encontro, Jesus Mestre interpreta e atualiza a Torá, transmitindo o conteúdo da Aliança de amor e justiça a ser proclamado e concretizado no mundo inteiro:

Vão e façam com que todos os povos se tornem meus discípulos, batizando-os em Nome do Pai, e do Filho e do Espírito Santo, e ensinando-os a observar tudo o que ordenei a vocês. Eis que eu estou com vocês todos os dias, até o fim do mundo (Mt 28,19-20).

As nove bem-aventuranças mostram o ser e o agir de Deus em favor do povo, aqui e agora. Elas descrevem a espiritualidade de um verdadeiro discípulo e discípula de Jesus. Todas são emanações iluminadoras e inspiradoras do processo de *kénosis* em nossas vidas como discípulos e discípulas amados do Mestre. "Todo discípulo bem formado será como seu Mestre" (Lc 6,40).

Kénosis é um processo agraciante que humaniza a pessoa para que ela amadureça espiritualmente. Pela *kénosis*, a pessoa entrega sua inteligência e sua vontade a Deus para que elas possam ser lavadas e purificadas pelo Espírito Santo, através dos dons de discernimento e de sabedoria. É um processo de despojamento para viver com sinceridade total, base de toda autenticidade. A vida, aos poucos, se torna um pequeno Evangelho vivo.

A bem-aventurança da pobreza evangélica: "Bem-aventurados os pobres em Espírito, porque deles é o Reino dos céus" (Mt 5,3)

Javé optou pelo povo excluído e marginalizado que forma uma imensa multidão empobrecida pela miséria, doença e fome. Poderíamos aqui lembrar o retrato que Ezequiel faz do povo sofrido (Ez 37,1-6). Hoje continua um grito profético dentro da peregrinação missionária: o grito dos excluídos, o movimento dos sem-terra e sem-teto, as romarias para os santuários de Aparecida, Canindé, Padre Cícero, Abadia, Pai Eterno; as filas quilométricas buscando mais vida, emprego, salário justo, saúde, arroz, pão.

A caminhada exodal do povo continua hoje para nós como missão urgente da Igreja pobre dos pobres:

> Gente, sejamos fortes! Não tenham medo! Vejam Javé no meio para salvar (Is 35,4). Para mostrar seu grande amor aos pobres, Deus enviou Jesus: Hoje nasceu para vocês um Salvador. Isto lhes servirá de sinal: vocês encontrarão um recém-nascido, envolto em faixas e deitado na manjedoura (cf. Lc 2,10-12).

A primeira bem-aventurança fala dos pobres: os *anawim* – o pequeno resto. São os camponeses pobres sem acesso às sinagogas, e muitas vezes vistos como ignorantes e rudes. Eles formam o santuário da humanidade sofrida. Os *pobres no Espírito* são pessoas que vivem como colaboradoras no acolhimento, na defesa e na convivência com os pobres. Ajudam na construção de um mundo mais justo, fraterno e igualitário, seja para os pobres, com os pobres ou como os pobres. Ser *pobre no Espírito* é ter o espírito de Jesus de Nazaré – o espírito da *kénosis*.

No Evangelho de Mateus, a bem-aventurança da pobreza é vista como uma *lei*, válida para todos os pobres em Espírito de todos os tempos e lugares (Mt 5,3). Em Lucas, a bem-aventurança é vista como uma *Boa Notícia* dirigida aos pobres que estavam perto de Jesus naquele momento (Lc 6,17-19). Em Mateus, Jesus fala aos pobres no Espírito; em Lucas, ele fala aos pobres empobrecidos e excluídos. Nos dois Evangelhos, a proposta é a mesma: a vinda do Reino da fraternidade universal da humanidade.

Pobres no Espírito trata-se do mesmo Espírito de Deus que desceu sobre Maria na Anunciação e Encarnação de Jesus (Lc 1,35) e fez com que ela se tornasse a Mãe de Jesus e de toda a humanidade; o mesmo Espírito que desceu sobre Jesus na hora de sua consagração missionária no rio Jordão (Mt 3,16) e que o levou para o deserto, dando-lhe força para vencer as provações (Lc 4,1-13). Jesus prometeu esse mesmo Espírito para todos nós (Jo 14,26; 16,12-13; 20,22).

Pobres no Espírito são as pessoas nas quais atua o mesmo Espírito que atuava em Jesus. Para elas, a pobreza é um apelo de Deus para que se unam aos outros pobres e, juntos, lutem para acabar com a *pobreza injusta* que existe no mundo.

Diante do clamor dos pobres, a bem-aventurança da pobreza evangélica procura animar os discípulos e discípulas de Jesus a ser, viver e missionar a partir da *kénosis*, abraçando o caminho da comensalidade e a partilha radical de vida. Jesus escolheu o caminho que nos faz andar em direção de uma verdadeira conversão e transformação de acordo com os valores do Evangelho.

Jesus viveu pobre, amou os pobres e proclamou-os bem-aventurados. Procuramos a pobreza não como um fim em si, nem por desprezo ou medo dos bens que Deus nos concede. Lembremo-nos da Palavra sábia de Paulo: "Vocês conhecem a generosidade de Jesus; ele, embora fosse rico, se tornou pobre por causa de vocês, para com a sua pobreza enriquecer a vocês" (2Cor 8,9). É o despojamento e o desapego que nos fazem livres. Suprime as raízes da avareza, da dureza de coração e do egoísmo, conservando-nos na liberdade diante de todas as coisas.

É em uma fraternidade que se partilha dia a dia a riqueza e a vida, a energia e a fraqueza, a alegria e a tristeza, o sucesso e o fracasso, a esperança e a dúvida. É um comprometimento solidário com os pobres. Renunciemos à nossa tendência de andar com os *grandes* e os *importantes,* só para sermos bem-vistos e aplaudidos. Seja Jesus, acima de tudo, nossa riqueza! Desistamos de todo desejo de competição e inveja. Sejamos cuidadosos com todas as coisas que possuímos em conjunto. Sejamos sóbrios, simples e modestos.

Mateus desenvolveu a espiritualidade da pobreza evangélica para fundamentar o discipulado missionário. Isso aponta para as consequências na vida de quem faz opção pelo Mestre. É uma maneira de ser e viver, para fazer da nossa vida um pequeno Evangelho vivo. O Evangelho de Jesus chama para uma dinâmica de vida mais profunda. A preocupação em acumular riquezas é contrária ao desenvolvimento de uma atitude de abertura e entrega à ação providente de Deus na nossa vida.

O mistério do Reino manifesta-se hoje em pessoas e grupos bastante pequenos, como aconteceu no começo humilde da pregação de Jesus, escondido no meio da grande complexidade da realidade. Contudo, eles se comportam exatamente como o fermento no meio da massa (Mt 13,33; Lc 13,20-21).

Uma quantidade muito pequena de fermento provoca uma reação química que afeta uma grande medida de farinha. A força do Reino passa por um processo tão surpreendente quanto esse, no qual parece extinguir-se, sendo, no entanto, impossível definir ou decantar sua presença nas novas sínteses presenciadas. No entanto, a história fermenta, para que possa nascer o Reino!

Mateus, no seu Evangelho, nos faz lembrar: "Ninguém pode servir a dois senhores, pois odiará um e amará o outro, ou se apegará a um e desprezará o outro. Vocês não podem servir a Deus e ao dinheiro" (Mt 6,24).

A bem-aventurança da consolação: "Bem-aventurados os aflitos, porque serão consolados" (Mt 5,4)

Jesus é o nosso Bom Pastor. Optamos por ficar com ele, e nele e por ele abraçamos o caminho da consolação. Essa bem-aventurança vem da mística do *Livro da Consolação* (Is 40–55). É um pequeno retrato da comunidade dos pobres durante o exílio da Babilônia (596-537 a.C.).

Os aflitos são os oprimidos, doentes, quebrados, machucados, entristecidos, e enlouquecidos pelo sistema neoliberal. Eles vivem como Jesus, o Servo Sofredor (Is 53), o Homem das dores (Jo 19,5), a mística da consolação. Nesse *chorar evangélico* é gerada nova energia de vida.

Consolar é colocar sua vida como vida para os mais fracos e necessitados. O profeta Isaías revela belas pistas a esse respeito (Is 40–55). Isso se dá sempre sob a forma de uma resposta a alguma situação de muito sofrimento na vida, que é mostrada por meios históricos ou pelos pobres, como uma intervenção de Deus para mudar o rumo da realidade.

Os que esperam em Javé renovam suas forças, criam asas, como águias, correm e não se fatigam, podem andar e não se cansam (Is 40,31). Cada um anima o seu companheiro, dizendo-lhe: Coragem (Is 41,6)! As primeiras coisas já aconteceram, coisas novas é o que eu agora anuncio: antes que elas comecem, eu as comunico a vocês. Cantem a Javé um cântico novo! Que o louvem até os confins da terra: que o celebrem o mar e tudo o que nele existe, as ilhas com seus habitantes (Is 42,9-10).

O Senhor me deu a capacidade de falar como discípulo, para que eu saiba ajudar os desanimados com uma palavra de coragem. Toda manhã ele faz meus ouvidos ficarem atentos para que eu possa ouvir como discípulo (Is 50,4). Cante de alegria, estéril que não dava à luz; exulte com alegre canto, você que não tinha dores de parto, porque a mulher abandonada terá mais filhos que a casada, diz Javé. Aumente o espaço de sua tenda; ligeira estenda a lona, estique as cordas, finque as estacas, porque você vai se estender para a direita e para a esquerda, seus filhos herdarão nações e povoarão cidades desabitadas (Is 54,1-3).

Para o profeta Ezequiel, a consolação é a missão de iluminar o momento histórico e sofrido oferecendo pistas para sua solução, saídas alternativas e mais sustentáveis e resistência libertadora. No livro das *Lamentações*, a consolação é o derramamento das lágrimas de uma grande dor como um grito e um clamor pela consolação de Deus. A consolação é a esperança e a solidariedade tomando formas concretas.

A consolação fraterna é um caminho vivencial no meio do povo sofredor. A vida fraterna é o centro da nossa vida e a bela manifestação da nossa vida comunitária. A caridade fraterna se torna um dom da consolação em favor de nossos irmãos e irmãs afligidos. A partir da convivência solidária, ficamos disponíveis a repartir o pão da consolação para com os mais pobres, sofredores e necessitados, para com os famintos e sedentos, onde quer que estejam. Assim é testemunhada uma presença viva de Jesus de maneira mais intensa. Façamos tudo para efetuar plenamente a fraternização na disponibilidade da consolação. Aprendamos a olhar todas as pessoas com uma simpatia evangélica e criaremos, assim, um coração sempre aberto e alegre – capaz de se estender e oferecer nossa vida para a consolação do povo sofredor.

Os aflitos bem-aventurados choram na presença de Deus e rezam rasgando os seus corações, pois sabem que sempre serão consolados pelo Espírito de Jesus de Nazaré. É uma experiência de comunhão de vida que Jesus oferece para quem abraça a caminhada na mística de uma vida pobre: "Este pobre gritou, Javé ouviu, e o salvou de todos os apertos. Os justos gritam, Javé escuta, e os liberta de todos os apertos" (Sl 34,7).

Servimos a um Deus de amor, que nos consola com sua compaixão e misericórdia. Ele passará junto conosco pelo sofrimento, sentirá a nossa dor e angústia, exatamente como as sentimos. Ele estará sempre conosco. Jesus, pela compaixão, se fez pobre no coração de Maria e, por meio dela, no coração dos pobres. Ele colocou-se em nosso lugar. Isso ele também espera de nós: que sintamos a dor e o clamor do próximo, colocando-nos no lugar do outro, pois essa é a verdadeira compaixão.

A bem-aventurança da mansidão: "Bem-aventurados os mansos, porque possuirão a terra" (Mt 5,5)

Os mansos bem-aventurados são os *pobres sem terra*. Hoje há tantas outras formas dessa *categoria do sem*: sem teto, sem casa, sem salário justo, sem escola, sem creche, sem atendimento na saúde pública etc.

Lemos no Livro do Êxodo que Deus responde ao clamor dos pobres-mansos:

> Estou vendo muito bem a aflição do meu povo que está no Egito. Ouvi seu clamor diante de seus opressores, pois tomei conhecimento de seus sofrimentos. Desci para libertá-lo do poder dos egípcios e fazê-lo subir dessa terra para uma terra fértil e espaçosa, terra onde correm leite e mel (Ex 3,7-9).
>
> Os pobres-mansos vão possuir a terra e deleitar-se com paz absoluta (Sl 37,11). No meio de você não haverá nenhum pobre-manso porque Javé vai abençoar você na terra que Javé, teu Deus, vai dar a você, para que a possua como herança (Dt 15,4).

Como Deus, precisamos saber descer hoje para chegar onde o povo sofrido mais sofre nas *periferias existenciais*, como diz o Papa Francisco. Hoje Deus continua prometendo *leite e mel*. Leite significa o primeiro alimento, aquele que as nossas mães nos deram para alimentar e dar vida a todos nós. A terra é mãe. É o próprio Deus-mãe alimentando seu povo querido.

Os opressores tornaram a vida amarga, por isso, Deus promete mel – uma vida mais *doce e feliz*!

A terra onde os hebreus foram era ocupada e governada pelos reis cananeus. Hoje esses reis podem ser representados pelas muitas multinacionais que *reinam* entre nós! A Bíblia é a história de um povo que caminha com Deus e de um Deus que caminha com seu povo.

A terra é de Deus e um espaço sagrado para todos os irmãos e as irmãs de Jesus. Sabemos que a Constituição brasileira de 1988, com outras leis e decretos complementares, asseguram a todos os povos e a todas as comunidades tradicionais (tribais), sejam índios, quilombolas, pescadores etc., o direito de posse e propriedade defensiva sobre o território tradicionalmente ocupado. No entanto, poucas áreas e poucos territórios foram demarcados, titulados e homologados.

As grandes empresas exploradoras do capitalismo neoliberal continuam invadindo as terras desses povos e provocando a degradação ambiental. Impõem ao Estado brasileiro a sustentação do negócio e do lucro do capital privado, enquanto esses povos e essas comunidades tribais perdem suas origens, sua cultura e seus territórios.

Deus está sempre presente em nossas lutas, em nossas vidas e em nossas necessidades. Ele caminha conosco e nos conduz pelo seu belo projeto – terra para todos! Somos um povo que vive a bem-aventurança da mansidão com esperança e a confiança da presença providente de Deus entre nós.

Os mansos são os pobres que procuram pôr seus *pés na caminhada* sofrida dos mais abandonados. A mansidão, assim, é uma atitude que se expressa na aceitação das ofensas, sem desejo de vingança ou gestos de agressividade. Ela possui tão grande força interior, que faz com que se renuncie a qualquer tipo de violência. Os pobres herdarão a terra, ou seja, a justiça divina, um mundo diferente! Com certeza o conteúdo dessa bem-aventurança da mansidão evangélica se inspira no Livro de Isaías, onde o profeta fala da promessa de Deus de criar um mundo novo:

"Vejam! Eu vou criar um novo céu e uma nova terra. As coisas antigas nunca mais serão lembradas, nunca mais voltarão ao pensamento. Por isso fiquem para sempre alegres e contentes, por causa do que vou criar... O lobo e o cordeiro pastarão juntos, o leão comerá capim como o boi, mas o alimento da cobra é o pó da terra. Em todo o meu monte santo ninguém causará danos ou estragos", diz Javé (Is 65,17-25).

Mais tarde, o *Livro do Apocalipse* continua alimentando a esperança do povo de Deus:

Eu vi um novo céu e uma nova terra. Eu vi descer do céu uma cidade nova – renovada pela justiça fraterna! Esta é a tenda de Deus com o seu povo, Deus vai morar com ele. Deus vai enxugar toda lágrima dos olhos do povo e não existirá mais morte, nem aflição, nem choro, nem dor. Porque as coisas antigas já foram embora (Ap 21,1-4).

O manso abre mão do desejo de satisfazer sempre a sua vontade para descobrir, discernir e fazer a vontade de Deus. Sabe ceder para fazer a vontade de Deus antes da sua própria. A pessoa mansa não deixa de cumprir suas responsabilidades, mas cede, pede perdão e não vê problema em abrir mão em uma briga ou conflito, pois é isso que Deus pede a todos nós.

"Carregam a minha carga e aprendam de mim, porque sou manso e humilde de coração e vocês encontrarão descanso para suas vidas" (Mt 11,29).

A mansidão reflete uma atitude baseada na descoberta do poder de Jesus em nossa vida. Ela cria em nós um desejo de viver de acordo com o projeto de Deus, traçado nas bem-aventuranças. A profundidade da nossa experiência da bem-aventurança da mansidão dependerá de como assumimos a vida: com mansidão ou com violência! A terra (vida) é de Deus e deve servir para que todos tenham acesso à terra (vida). Moisés sempre lembrava os peregrinos hebreus da necessidade de respeitar a terra, tendo Javé como seu único Deus (Dt 6,1-12; 6,18-20; 8,6-9).

Hoje, a terra é vista como um caminho de riqueza. A ideologia da economia política é ter mais terra, mais riqueza, mais poder, mais prestígio. No relato das tentações (Mt 4,1-11), Jesus é conduzido pelo Espírito da missão ao deserto. Lá foi tentado pelo sistema a respeito da economia da posse (Mt 4,1-4; Dt 8,3), do prestígio (Mt 4,5-7; Dt 6,16) e do poder (Mt 4,1-10; Dt 6,13).

Essa bem-aventurança propõe o uso da terra na mística e na ética da mansidão, fazendo com que confiemos em Deus e na providência e na partilha que nos faz pobres no Espírito. Assim, nossas riquezas, nas suas mais diversas formas, se baseiam em Deus. Todas as dimensões e expressões da riqueza devem ser orientadas para promover a verdadeira justiça no mundo. Tal espiritualidade traz a lembrança da presença de Deus. Orientando a economia em favor dos pobres, Deus sempre proverá. Mansidão é entregar nossa vida ao projeto de Deus, que é a verdadeira justiça no mundo, ou seja, tudo ordenado ao amor da aliança. Assim, pelo mundo dos pobres, serão bem-aventurados os que vivem a mansidão evangélica.

Nossa vida em discipulado missionário se baseia no Evangelho de Jesus. Seu conteúdo é simples e concreto. Tudo consiste em vivê-lo. Basta se manter na mansidão e, assim, Jesus ensinará o caminho do amor maior!

A bem-aventurança da justiça evangélica: "Bem-aventurados os que têm fome e sede de justiça, porque serão saciados" (Mt 5,6)

A bem-aventurança da justiça evangélica assume com renovado ardor a mística e a ética, como foi proclamado no código da aliança (cf. Ex 20,1-17) e renovado no Sermão da Montanha através das bem-aventuranças (cf. Mt 5,1-12). A justiça evangélica é uma vida *ajustada e ordenada* à aliança do amor contido no mandamento novo (cf. Jo 13,34-35; Jo 15,12). Jesus sempre falou da justiça como uma forma concreta de amar os pobres como irmãos e irmãs. Os pobres sofridos, injustiçados e marginalizados se tornam o verdadeiro sacramento vivo e ícone de Jesus.

A luta hoje é contra as idolatrias e os falsos deuses de uma economia neoliberal globalizada. Jesus afirma que somente Deus pode ser adorado. Diante da injustiça e do poder econômico-político, Jesus propõe a caminhada contra todo roubo e acúmulo de bens, que deveriam ser partilhados entre todos, bem como contra a riqueza de poucos à custa da miséria de muitos. Deus não quer a opressão e a exploração, mas a justiça. Jesus procurou levar os discípulos a compreender que devem ter uma nova atitude em relação ao exercício de poder, que deve ser visto e vivido não como privilégio e dominação, mas como serviço aos irmãos e irmãs (Lc 22,24-27).

Os discípulos não se devem inspirar nos poderosos deste mundo. Nossa força está em ir construindo, a partir de baixo, nossa missão na defesa da vida. Nossa força está na espiritualidade, no testemunho de coerência e autenticidade de caminharmos juntos realizando o sonho de Deus. A justiça é a nossa vida ordenada e ajustada ao sonho criacional de Deus. É ter sempre diante de nós a *fome* (cf. Ex 16) e *sede* (cf. Ex 17) *de justiça*. Há muitas formas de justiça bíblica:

A *justiça econômica* honesta e transparente baseada na partilha e providência: Mt 19,16-30; 6,24-34; Ex 16,16-21.

A *justiça social* baseada nas dimensões humanas e na cidadania: Ez 37,1-6; 34,4-10.

A *justiça política* com a solidariedade da fraternidade universal: Mt 20,20-28.

A *justiça religiosa*: seguir Jesus e semear o reinado de Deus: Mt 5,17-20.

A espiritualidade missionária latino-americana procura incentivar a vida em abundância nos passos de Jesus Bom Pastor (Jo 10,10). É uma maneira de estar no mundo que Deus tanto amou. É uma forma de se posicionar diante das injustiças hoje. A globalização neoliberal acrescentou uma nova bandeira de exclusão. Jesus levantou a bandeira do Evangelho da justiça.

Seguir Jesus é entrar numa identificação pessoal e comunitária com o seu estilo de vida e com seu compromisso com o Reino. Os direitos humanos dos pobres e das grandes maiorias são os direitos de Deus. Jesus, ao assumir o projeto de Nazaré, tornando-se Luz das Nações, confirmou sua consciência de ser libertador dos pobres, dos que choram e dos que têm fome e sede de justiça: "Eu sou a luz do mundo, quem me segue não andará nas trevas, mas possuirá a luz da vida" (Jo 8,12; Is 42).

Podemos rezar sobre o pão da solidariedade, que simboliza a bênção e a vivência da justiça evangélica, uma grande fonte de esperança para o povo hebreu a caminho da terra da promessa. Além de tantos problemas enfrentados, uma coisa ficou clara: mesmo que a caminhada libertadora pelo deserto fosse dura, nunca poderia faltar o pão. Jamais ele podia ser acumulado, pois sabemos que, se a fome existe, é porque há gente que possui demais e não reparte com os outros.

Ainda no deserto, quando o povo ansiava por libertar a terra ainda nas mãos dos reis cananeus, surgiu essa tentação de também acumular. Aquilo que tinha sido conquista e alegria da caminhada tornou-se mesquinharia e desconfiança. O povo hebreu foi chamado a vivenciar novas relações ainda durante a caminhada de libertação no deserto, mesmo antes de ter conquistado a terra das mãos dos latifundiários-reis nas terras de Canaã.

Jesus colocou o pão repartido como o coração da oração do Pai-Nosso: "O pão nosso de cada dia nos dá hoje" (Lc 11,3). A presença do pão cotidiano na mesa de cada família é fundamental para que haja vida com dignidade e cidadania. É a fonte de toda a justiça. Sabemos que a partilha do pão é o centro e coração da prática missionária de Jesus. Ele ensinou-nos que, tal como o maná, não é possível acumular comida no projeto do Reino, pois pedimos o pão nosso de cada dia e não o do ano inteiro! É o pão partilhado, pois pedimos o pão nosso e não o pão meu!

Ter fome e sede de justiça é querer ser como Jesus, é estar próximo de Deus e encontrá-lo através de sua Palavra, fazendo, assim, experiência com ele. Feliz é aquele que guarda as palavras de Deus no coração. Quando buscamos aquele que nos justifica, torna-mo-nos justos diante dele. O salmista diz: "Minha alma tem sede de Deus, do Deus vivo: quando verei a face de Deus? Ó Deus, tu és o meu Deus, por ti madrugo. Minha alma tem sede de ti, minha carne te deseja com ardor" (Sl 42; 63).

A fome significa na Bíblia a lembrança do Deus da vida. Jesus disse: "Eu sou o pão da vida. Quem vem a mim, não terá mais fome, e quem acredita em mim nunca mais terá sede" (Jo 6,35).

O povo bíblico acredita que Deus fará justiça aos que são oprimidos. A situação de fome e sede de justiça clama para que cessem a injustiça atual. A justiça corresponde ao reinado de Deus sobre tudo e sobre todos: "Javé é nossa justiça" (Jr 23,6).

Jesus convida os discípulos a voltarem para viver intensamente a aliança da caminhada exodal-pascal, vista no primeiro testamento (Ex 20,1-17). A maneira de Jesus propor uma volta às fontes chama-se mandamento novo (Mt 25,31-45; Jo 13,34-35). Ele sempre fez questão de relembrar que não veio para mudar a aliança do Primeiro Testamento, e, sim, vivê-la intensamente (cf. Mt 5,17-20). A justiça faz brotar uma transparência e autenticidade, tornando--nos pequenos Evangelhos vivos! A justiça procura a pacificação do mundo e da humanidade.

> Entrem pela porta estreita, porque é largo e espaçoso o caminho que leva para a perdição. E são muitos os que tomam esse caminho. Como é estreita a porta e apertado o caminho que leva para a vida! E são poucos os que o encontram (Mt 7,13-14).

Nossa espiritualidade procura incentivar um ajustamento e ordenação ao Projeto do Reino – a fraternidade universal. Essa bem-aventurança nos inspira a nos posicionarmos diante das injustiças, vivendo na contramão da sociedade neoliberal. Diante dos abusos do poder, Jesus proclamou a chegada do Reino – um estilo de vida comprometido com o Reino: os direitos humanos, a cidadania, a consciência evangélica da realidade do povo sofrido. Um sinal de justiça é a paz que começa a reinar.

A bem-aventurança da misericórdia: "Bem-aventurados os que são misericordiosos, porque encontrarão misericórdia" (Mt 5,7)

A compaixão e a misericórdia são o carisma missionário de Jesus. No meio das nove bem-aventuranças, está a *misericórdia*, que é a chave para toda a vida missionária de Jesus de Nazaré. A encarnação realizada no coração de Maria, e através dela no coração do povo nazareno, abriu a mística da *primeira porta da misericórdia na gruta dos pobres* (Lc 2,1-20).

Eu sou a Porta. Se alguém entrar por mim, será salvo (Jo 10,9). Isto vos servirá de sinal: vocês encontrarão um recém-nascido, envolto em faixas e deitado numa manjedoura (Lc 2,12). Vocês conhecem a generosidade de Jesus: sendo rico, ele se fez pobre por causa de vocês para com sua pobreza enriquecer vocês (2Cor 8,9).

O fato de ser pobre e pequeno, de ter nascido numa gruta dos pobres, não criou nenhuma barreira para José e Maria, nem para as pessoas que quiseram aproximar-se de Jesus. É lugar do povo pobre e trabalhador. Onde sempre existem espaços de acolhimento e gestos de hospitalidade. Na manjedoura, Jesus tornou-se um *ícone vivo da kénosis*, ou seja, do esvaziamento e despojamento, identificando-se com a sorte infeliz de seu povo – com o seu sofrimento e miséria humana.

A manjedoura foi o lugar que Deus providenciou para receber o pequeno corpo de Jesus nessa primeira etapa de sua encarnação misericordiosa na história humana. Jesus nasceu pobre, na periferia, distante da elite, dos palácios, do luxo e das riquezas. O ícone da manjedoura tornou-se uma contemplação da mística da misericórdia de Deus. Era uma maneira de ser e viver na simplicidade do Evangelho do Reino. A vida pobre permaneceu o *sacramento da presença de Jesus* durante toda a sua vida.

Somos convidados a adorar e louvar a Jesus a partir da manjedoura. "Que tenhamos em nós os mesmos sentimentos que havia em Jesus Cristo" (Fl 2,5). Jesus nos convida a chegar perto da manjedoura da gruta dos pobres e adorá-lo! Adorar é amar! Jesus disse à samaritana que toda verdadeira adoração deve ser feita *em espírito e verdade* (Jo 4,23): no espírito de Jesus e na verdade da sua Palavra.

Nos países pobres, milhões estão famintos, sedentos, doentes, sentindo-se abandonados, desprezados, sem amor, jogados nos braços impuros e nas sarjetas perigosas das ruas das nossas cidades e periferias. O choro e a tristeza dessas pessoas pobres são o choro e as lágrimas que vêm do coração compassivo de Jesus na manjedoura de ontem e de hoje. Elas estão gritando: "Socorro! Queremos sobreviver! Falta o pão nosso de cada dia" (Lc 11,3). Na Palavra de Deus, a amizade se manifesta através dos gestos fraternos e solidários.

Dessa *porta da gruta* da misericórdia que se abriu para nós, podemos ver outras portas sendo abertas para que vivamos a misericórdia:

A porta da encarnação – do coração de Maria: Lc 1,38; 2,1-20; Jo 1,14.

A porta estreita das bem-aventuranças: Mt 5,1-12; 7, 13-14; Lc 6,20-23.

A porta aberta – basta dar um passo a mais: Ap 3,8.

A porta fechada – desejar abrir de novo: Ap 3,20; Jo 14,23.

A porta do túmulo – reviver, reavivar em Jesus: Jo 11,39-44.

A porta do sacrário – presença amorosa de Jesus, sacramento da fraternidade.

A porta da casa de Betânia – convivência como irmãs e irmãos.

A porta de Nazaré – nossas casas e comunidades.

A porta da compaixão e misericórdia – coração do Pai bondoso: Lc 15.

A porta do meu coração – coração novo, espírito novo: Ez 36,25-28.

Viver intensamente o Evangelho é reconhecer a presença amorosa de Deus na nossa caminhada de cada dia. Ele provoca e convoca à mudança interior, para deixarmos de lado tudo o que é velho em nós e assumirmos tudo o que traz vida. Tempo de graça e salvação, para que nos preparemos para viver, de maneira intensa, livre e amorosa, o *Mistério Pascal* – de Jesus, do povo e de cada um de nós! É abraçar de coração entusiasmado a aliança de amor que anuncia a vitória sobre o pecado, a escravidão e a morte.

A mística da vida cristã é marcada também por uma profunda escuta da Palavra de Deus, que vem iluminar a vida e chamar à conversão, infundindo confiança na compaixão e misericórdia de Deus. O confronto inspirador com o Evangelho de Jesus ajuda a perceber a proposta da aliança de amor entre Deus e seu povo querido. Como é bonito fazer uma boa e agraciada avaliação de nossas opções de vida, trabalho e missão para aprofundar a vivência da fé com ações concretas de fraternidade e solidariedade. É um tempo para dar maior liberdade a Jesus para agir em nós, abrindo espaços, alargando o coração e retomando nossas opções pessoais e comunitárias para viver e saborear melhor nossa vida consagrada hoje.

No relato do Bom Samaritano (Lc 10,25-37), o sentido bíblico da compaixão e misericórdia se revela como uma bela proclamação dos sentimentos de Jesus. Jesus é o Bom Samaritano. Com ele e como ele somos convocados a ser e agir vivendo a comunhão fraterna com compaixão e misericórdia. O amor verdadeiro não é só conhecimento, é prática total. Saber é apenas um detalhe. É preciso fazer aquilo que se sabe, de tal forma que, entre o conhecimento e a ação, possa haver coerência. Exige um envolvimento de todo ser. *A mística da caridade é norma única do seguimento de Jesus!*

Pelo caminho descia um *homem* que foi assaltado e machucado. Pelo mesmo caminho, descia também um *sacerdote do Templo* que passa de lado sem socorrê-lo, pois, pela lei, não podia tocar em cadáveres ou em corpos estranhos como vítimas (Lv 21,1). Se ele o tocasse, tornar-se-ia *impuro* e não poderia realizar suas funções religiosas naquele dia. Passou depois um *levita*, mestre e professor da lei, que conhecia os mesmos preceitos e, por isso, deixou o homem caído e seguiu sua caminhada. Os dois *conheciam a lei*, e, em observância a ela, não podiam praticar a caridade! As normas institucionais eram mais fortes e determinantes!

O *samaritano* não carregava nos seus ombros essas normas pesadas. Era livre para amar com coração fraterno, afeição e solidariedade. Vendo o homem caído, mesmo sendo samaritano, aproximou-se dele, ungiu-o com óleo, carregou-o e levou-o a um lugar onde podia ser tratado. Assumiu as despesas até sua recuperação total! Não bastava conhecer a lei! Era preciso praticar a mística da caridade fraterna – sem medir, sem calcular as consequências! O sacerdote e o levita decidiram *salvar a lei*, o samaritano decidiu *salvar a pessoa*! Só quem salva a pessoa torna-se próximo de alguém, seja ele quem for. A má interpretação da lei pode destruir a possibilidade da caridade – norma única da salvação!

O texto fica ainda mais bonito quando refletido a partir de Ex 3,7-9:

1 – *Eu vi muito bem a miséria do meu povo.*

Ver, no olhar de Jesus, a necessidade e o sofrimento do outro.

2 – *Ouvi seu clamor diante de seus inimigos.*

Escutar com coração de fraternura os gritos, as lágrimas e os clamores.

3 – *Conheço seus sofrimentos.*

Conhecer – entrar em relação fraterna e compassiva.

4 – *Desci para libertá-lo do poder dos seus inimigos.*

Descer até quem necessita de uma presença fraterna e misericordiosa.

5 – *Desci para fazê-lo subir dessa terra para a Terra Nova.*

Caminhar juntos, em favor da vida, com gestos de fidelidade e de solidariedade.

Papa Francisco fala do rosto misericordioso do Pai:

Precisamos sempre contemplar o mistério da misericórdia. É fonte de alegria, serenidade e paz. É condição da nossa salvação. Misericórdia: é a palavra que revela o mistério da Santíssima Trindade. Misericórdia: é o ato último e supremo pelo qual Deus vem ao nosso encontro. Misericórdia: é a lei fundamental que mora no coração de cada pessoa, quando vê com olhos sinceros o irmão que encontra no caminho da vida. Misericórdia: é o caminho que une Deus e o homem, porque nos abre o coração à esperança de sermos para sempre, apesar da limitação do nosso pecado (*Misericordiae vultus*, n. 2).

Queremos viver este Ano Jubilar à luz desta palavra do Senhor: Misericordiosos como o Pai (Lc 6,36). É um programa de vida tão empenhativo como rico de alegria e paz. Portanto, para ser capazes de viver a misericórdia, devemos primeiro colocar-nos à escuta da Palavra de Deus. Isso significa recuperar o valor do silêncio, para meditar a Palavra que nos é dirigida. Deste modo, é possível contemplar a misericórdia de Deus e assumi-la como próprio estilo de vida (*Misericordiae vultus,* n. 13). Neste Ano Santo, poderemos fazer a experiência de abrir o coração àqueles que vivem nas mais variadas periferias existenciais, que muitas vezes o mundo contemporâneo cria de forma dramática. Quantas situações de precariedade e sofrimento presentes no mundo atual! Quantas feridas gravadas na carne de muitos que já não têm voz, porque seu grito foi esmorecendo e se apagou por causa da indiferença dos povos ricos.

Neste Jubileu, a Igreja sentir-se-á chamada ainda mais a cuidar destas feridas, aliviá-las com o óleo da consolação, enfaixá-las com a misericórdia e tratá-las com a solidariedade e a atenção devida. Não nos deixemos cair na indiferença que humilha, na habituação que anestesia o espírito e impede de descobrir a novidade no cinismo que destrói. Abramos os nossos olhos para ver as misérias do mundo, as feridas de tantos irmãos e irmãs privados da própria dignidade e sintamo-nos desafiados a escutar o seu grito de ajuda. As nossas mãos apertem as suas mãos e estreitemo-los a nós para que sintam o calor da nossa presença, da amizade e da fraternidade. Que o seu grito se torne o nosso e, juntos, possamos romper a barreira de indiferença que frequentemente reina soberana para esconder a hipocrisia e o egoísmo (*Misericordiae vultus*, n. 15).

Os misericordiosos são aqueles que praticam o perdão e não guardam mágoas durante a vida toda. A misericórdia é o retrato de um amor leal e fiel, firme e constante. Por isso, agir com misericórdia leva à compreensão dos limites e falhas de uma pessoa, sem deixar de amá-la, da mesma maneira como Deus compreende nossas falhas e limites e continua a amar-nos. A misericórdia traz-nos a felicidade de viver a verdadeira graça de Deus bondoso e compassivo.

Testemunhamos nossa fé através da vivência da compaixão-misericórdia. Ela estimula um desenvolvimento e amadurecimento dos nossos sentimentos e motivações. Mostremos aos outros quem somos de verdade! Queremos ser irmãos e irmãs que vivem, com opção firme e concreta, a radicalidade do amor – amando sintonizado com o coração de Jesus. Isso exige um sentir do outro com as entranhas e o coração, permitindo cair nossas barreiras individualistas pela escuta, pelo diálogo e pela compreensão mútua.

A bem-aventurança da pureza de coração: "Bem-aventurados os puros de coração, porque verão a Deus" (Mt 5,8)

Jesus constatava sempre que pessoas possuíam diferentes visões de Deus, para defender seus próprios interesses. Daí a necessidade de desmascarar tais visões. Jesus falava em que consistiam as tradições humanas e desmascarava o fato de as pessoas as produzirem e as usarem como meios para ignorar a verdadeira vontade de Deus e para poder, assim, oprimir e machucar os outros. As tradições religiosas, criadas pelas pessoas, não podem diminuir a luminosidade do mistério da vontade de Deus, através de leis, rituais ou solenidades externas. Quando a religião é usada para ir contra a dimensão humanizante e espiritual da pessoa humana, torna-se um mecanismo de opressão.

Jesus denunciava os grupos que produziam o pecado estrutural: os ricos, porque a riqueza havia se tornado um ídolo que desumanizava a quem lhe rendia culto e exigia vítimas para existir. Os escribas e fariseus, mestres da lei, muitas vezes não ajudavam o povo, mas os oprimiam em nome da mesma lei. Os sacerdotes oprimiam em nome do poder religioso. Jesus anunciava o Reino e proclamava Deus como Pai. Denunciava o antirreino e desmascarava os ídolos. Assim, tocou e mexeu com as raízes de uma sociedade oprimida sob o jugo do poder econômico, político, ideológico e religioso.

O princípio fundamental de vida é o amor, a pureza de coração – um coração tomado pela fidelidade à aliança. A pureza de coração é uma prática da verdadeira liberdade. Não é só confessar: Senhor, Senhor, mas, acima de tudo, é fazer a vontade do Pai. O discípulo deve dar continuidade à prática de Jesus, tendo como parte essencial o anúncio da Boa-Nova de libertação aos povos e o serviço para a sua realização. Só assim eles farão o que Jesus fez: *passar fazendo o bem* (At 10,38).

Pureza de coração é: *Estar aberto à verdade,* em todos os momentos, diante de todas as situações, para viver com liberdade o primeiro mandamento (Ex 20), sem o apego aos ídolos e às ideologias dos falsos deuses; s*er livre para colocar-se diante de Deus* e dos outros, com honestidade, coerência, transparência, autenticidade e sinceridade; é *viver com harmonia e sintonia e sintonização com nossa vida interior e exterior* (Mt 15,1-20); *ter mãos inocentes e coração puro* (Sl 24); *evitar manipular ou dominar a realidade*, sem buscar a si mesmo nem impor as próprias ideias; *não crer e viver no sistema* opressor que esmaga a humanidade (cf. Sl 24,5 e 73).

Nosso discipulado missionário procura ser uma comunhão fraterna com Jesus. Na nossa contemplação da realidade, buscamos *ver tudo em Deus e Deus em tudo*. A realidade é o nosso espaço de oração profunda. Procuremos descobrir nesse tecido histórico a presença de Deus para contemplá-la, pois é Deus quem dirige e conduz a história. Como Jesus, nós enfrentamos o pecado do mundo e nos comprometamos a viver sem ambiguidade. Nunca queiramos seguir o caminho das impurezas do sistema neoliberal globalizado. Como irmãos e irmãs de Jesus hoje, convivamos e trabalhemos no lugar social dos pobres. Assim, seremos cada vez mais fermento na massa da humanidade sofrida.

Para a Bíblia, o coração é a sede das nossas opções profundas que marcam a vida inteira. Ser *puro de coração* é ser e viver em plena sintonia com a proposta do Reino. A bem-aventurança da pureza de coração se inspira no Sl 24,4-5: "Puro é aquele que tem mãos inocentes e coração puro. Que não confia nos ídolos, nem faz juramento para enganar. Esse receberá a bênção de Javé, e do seu Deus salvador receberá a justiça".

No Primeiro Testamento, a pureza dependia da observância de uma série de ritos mediante os quais as pessoas tinham acesso a Deus. Na Nova Aliança promulgada por Jesus de Nazaré, a pureza é sinônimo da opção pelo Reino – vivida pela convivência fraterna das bem-aventuranças (Mt 5,1-12).

Na sua carta às comunidades dos gálatas, Paulo fala da necessidade de viver guiado pelo Espírito de Jesus, evitando os instintos egoístas. A pureza de coração é a nova liberdade celebrada quando abraçamos Jesus como nosso caminho, verdade e vida:

Cristo nos libertou para que sejamos verdadeiramente livres. Portanto, sejam firmes e não se submetam de novo ao jugo da escravidão. Que essa liberdade, porém, não se torne desculpa para vocês viverem satisfazendo os instintos egoístas. Pelo contrário, disponham-se a serviço uns dos outros através do amor. Vivam segundo o Espírito! O fruto do Espírito é amor, alegria, paz, paciência, bondade, benevolência, fé, mansidão e domínio de si. Se vivemos pelo Espírito, caminhemos também sob o impulso do Espírito (cf. Gl 5,1-26).

Nossa vocação é um chamado a criar uma comunhão de vida a partir do seguimento de Jesus. Buscamos ver tudo em Deus e Deus em tudo. Procuramos no tecido histórico a presença de Deus para contemplá-lo e viver segundo as suas palavras. Como Jesus, enfrentamos o pecado deste mundo. Nós nos comprometemos a viver sem ambiguidade e falsidade. Nunca queremos seguir o caminho das impurezas do sistema neoliberal globalizado.

A bem-aventurança da paz:
"Bem-aventurados os que promovem a paz, porque serão chamados filhos de Deus" (Mt 5,9)

Essa bem-aventurança visa à serenidade e pacificação na convivência humana. Ela pressupõe a experiência da fragilidade do convívio humano e exige, por isso, o agir em prol da paz. Quem trabalha para alcançar a paz atua como Deus, porque Deus é o Deus da paz (Rm 15,33).

Os pacificadores da paz procuram ajudar as pessoas que se encontram em dificuldade a reconciliar-se e viver em harmonia. É um processo de humanização para estabelecer condições favoráveis no crescimento em todas as dimensões humanas e holísticas. O envio missionário dos discípulos e discípulas de Jesus tem por objetivo espalhar a Palavra do Mestre e semear o Reino da justiça e paz. Discípulos e discípulas devem ser instrumentos da paz!

A paz (*shalom*) no Primeiro Testamento significa a ampla condição da convivência na qual todo mundo se sinta bem, no mais profundo sentido da palavra.

Possibilita a felicidade pessoal e social no âmbito do amor e da justiça. O profeta Isaías compreende a paz como parte integral da aliança:

> Mesmo que os montes se retirem e as colinas vacilem, meu amor nunca vai se afastar de você, minha aliança de paz não vacilará, diz Javé, que se compadece de você (Is 54,10). Os profetas Miqueias e Isaías falam do messias como príncipe da paz (Mq 5,4; Is 9,5-6).

Falar da paz nem sempre é fazer a paz! Tantos impérios já colocaram a paz como fonte de sua vida e de suas relações exteriores, como a *Pax Romana*, a *Paz Americana* e outras, mas sempre foi uma paz de dominação econômica e militar a serviço do próprio país. É a paz através da opressão.

A promoção da paz é fruto da misericórdia e da pureza de coração. A paz é a dignidade da vida em todos os sentidos. Não se trata de uma paz meramente pessoal, egoísta, individualista, mas de uma paz também em nível social, econômico e político. Somos promotores dessa paz, mas às vezes vivemos num clima de guerra, de violência, injustiça etc.

O coração de quem promove a paz é uma constante fonte de felicidade. É aquele tipo de pessoa que, quando chega a um lugar explosivo, consegue mudar o ambiente, promovendo a paz na família, na comunidade, no trabalho, ou onde quer que vá, intermediando a relação entre todos, com o objetivo de mantê-los em paz.

Quem promove a paz é visto como filho de Deus, porque seus olhos e seu coração se dirigem às coisas boas que já existem ou às que ainda vão existir, conseguindo enxergar os propósitos de Deus na sua vida e na vida dos outros. "Sabemos que todas as coisas contribuem para o bem daqueles que são chamados segundo o seu projeto" (Rm 8,28).

A paz é semeada pela vivência integral das bem--aventuranças. Ela é *fruto da justiça*, ou seja, fruto da convivência na fraternidade com Jesus. Justiça, como já rezamos, é abraçar com fidelidade a aliança (Ex 20). Isso faz chegar ao essencial, pois é uma opção clara e transparente (Mt 6,24-34). É o caminho de profundo amor a Deus e à fraternidade universal.

A paz também é *fruto da concórdia*. A concórdia acontece quando as pessoas têm uma sintonia de corações, pulsando no mesmo ritmo evangélico! Vivem com um só coração, um só espírito, uma só alma, um só sentimento, um só projeto! Para sermos, então, instrumentos eficazes da paz, precisamos ser pessoas pacificadas pelo Evangelho. Todos nós podemos viver essa comunhão de paz.

A bem-aventurança da paz cria condições para que vivamos com um coração perdoado e perdoante. Lembremos as belas palavras do profeta e pastor Amós:

Será que duas pessoas andam juntas sem antes estarem de acordo? (Am 3,3). Não tenham nenhuma dívida com ninguém, a não ser a dívida do amor mútuo. O amor não faz nenhum mal ao próximo, pois o amor é o cumprimento total da Lei (Rm 13,8.10).

Jesus nos mostra que é preciso focar nosso olhar fraterno na pessoa e não na ofensa recebida. Diante da mulher pobre, acusada de adultério, Jesus disse: "Eu não condeno você!" (Jo 8,1-11). Como é fácil *jogar pedras nos outros*, sem olhar profundamente dentro do próprio coração! Todos nós somos chamados a perdoar. Perdoar não é uma emoção, mas um ato da nossa *vontade*.

Perdão e reconciliação são dois movimentos de amor fraterno para verificar nossa verdadeira opção de viver como Jesus (Fl 2,5). *Perdão* focaliza na *ofensa*, reconciliação, no *relacionamento*. *Reconciliação* requer um relacionamento entre duas pessoas para caminharem evangelicamente na mesma direção, guiadas pelo Evangelho. *Perdão* pode acontecer sempre – questão de vontade, não de emoção! *Reconciliação* requer pelo menos duas pessoas – questão de relacionamento.

O perdão envolve uma nova maneira de pensar sobre quem o ofendeu – à maneira de Jesus (Jo 13,34-35). É decidir livrar e libertar uma pessoa que o ofendeu. A *reconciliação* envolve uma mudança de comportamento entre as pessoas envolvidas. É o esforço agraciante de uma nova aproximação com o indivíduo que o ofendeu, tendo por base um relacionamento renovado no amor que nasce do Evangelho de Jesus. O Espírito de Jesus de Nazaré nos agracia com um coração evangélico! Um coração evangélico é manso, humilde e perdoante!

Uma provocação de Papa Francisco:

Também nós podemos pensar: qual é hoje o olhar de Jesus sobre mim? Como Jesus me olha? Com um chamado? Com um perdão? Com uma missão? No caminho que ele seguiu, todos nós somos o olhar de Jesus: ele nos olha sempre com amor, nos pede alguma coisa, nos perdoa alguma coisa e nos dá uma missão.

Muitas vezes erramos, porque somos pecadores, mas reconhecemos que erramos, pedimos perdão e oferecemos perdão. E isto faz bem à Igreja: faz circular no corpo da Igreja a seiva da fraternidade. E faz bem também à sociedade inteira! No entanto, esta fraternidade pressupõe a paternidade de Deus e a maternidade da Igreja e da Mãe, da Virgem Maria. Devemos voltar a pôr-nos cada dia nesta relação, e só o podemos fazer mediante a oração, com a Eucaristia, a adoração, o Rosário.

É assim que nós renovamos cada dia, o nosso permanecer com Cristo e em Cristo, inserindo-nos deste modo na relação autêntica com o Pai que está no céu e com a Mãe Igreja, com a nossa santa Mãe Maria. Se a nossa vida se colocar sempre de novo nestas relações fundamentais, então seremos capazes de realizar também uma fraternidade autêntica, uma fraternidade de testemunho, que atrai (*Contemplai*, n. 73).

Uma comunidade cristã é um espaço sagrado onde irmãos e irmãs se reúnem em paz e alegria para celebrar a vida que se desenvolve nessa comunhão. À medida que estivermos cheios do Espírito de Jesus de Nazaré, prontos para viver bem, a fim de que os outros vivam bem também, nossa união mútua crescerá e refletiremos cada vez mais a presença amorosa e libertadora de Jesus. A paz oferecida sempre traz nossa afeição, paciência e cordialidade.

A bem-aventurança da perseguição por causa da justiça: "Bem-aventurados os que são perseguidos por causa da justiça, porque deles é o Reino dos céus (Mt 5,10)

Essa oitava bem-aventurança (Mt 5,10), juntamente com a nona (Mt 10,11-12), fala das pessoas perseguidas por viver e defender a justiça como caminho de vida e libertação do povo, especialmente os mais pobres e menos amados. São ressonâncias da primeira bem-aventurança: "Bem-aventurados os pobres no Espírito de Jesus..." (Mt 5,3).

A oitava bem-aventurança recorda as pessoas que lutam pela justiça, seja econômica, social, política ou religiosa, como uma opção para defender os direitos do povo e a sua cidadania. Nem sempre essas pessoas têm uma opção definida por Jesus, nem sempre elas se tornam discípulos ou discípulas dele. São pessoas inspiradas e sintonizadas na dinâmica e mística do Reino! Vivem e promovem a plenificação da vida humana como prioridade na sua caminhada humana e espiritual. Abraçam o Reino da solidariedade fraterna, ainda que nem sempre dentro de uma opção de discipulado missionário.

Lutar pela justiça, construir a justiça, mexe com o sistema dos poderosos. Por isso, essas pessoas são perseguidas. Faz recordar o sofrimento e perseguição do povo sem terra, sem moradia, sem salário justo, sem atendimento na área de saúde etc. E isso, de modo especial, abraçando a *segunda opção de ser, como Jesus, missionário pobre na missão da justiça solidária!* (leitura orante: Ez 37,1-14; 34,1-10).

Paulo, discípulo amado do Mestre, fala do sofrimento e perseguição que esperam quem se coloca em favor de um mundo novo – um novo céu e uma nova terra (Is 65). O texto no Livro aos Romanos se revela um belo comentário:

Sabemos que a criação toda geme e sofre dores de parto até agora. E não somente ela, mas também nós, que possuímos os primeiros frutos do Espírito, gememos no íntimo, esperando a adesão, a libertação do nosso corpo. Na esperança nós já fomos salvos. O Espírito intercede por nós com gemidos inefáveis. Sabemos que todas as coisas concorrem para o bem dos que amam a Deus. Se Deus está ao nosso favor, quem estará contra nós? Quem nos poderá separar do amor de Cristo? A tribulação, a angústia, a perseguição, a fome, a nudez, o perigo, a espada (Rm 8,18ss).

O espírito de imolação e reparação faz penetrar um pouco nesse imenso sofrimento da humanidade. Nossos pequenos sofrimentos podem ajudar-nos a viver uma solidariedade fraterna com o mundo dos mais sofridos e perseguidos.

Somos peregrinos inspirados na profecia de Jesus de Nazaré. Tal profecia é uma continuação à caminhada exodal-pascal de Jesus e de tantos outros que seguem e já seguiram seus passos. É sempre importante estar em contato com nosso *peregrino interior*, abrindo-se para deixar para trás o que é conhecido e já conquistado. É a coragem evangélica de partir para a novidade da *kénosis* que Deus preparou desde sempre para o seu povo peregrino.

Nossa missão é fazer que o Evangelho das bem-aventuranças seja bem vivido na mística do pequeno projeto de Jesus. Nosso referencial é sempre Jesus e seu amor fraterno e solidário com o povo mais sofrido.

A bem-aventurança da perseguição na vida dos discípulos: "Bem-aventurados vocês se forem insultados e perseguidos, e se disserem todo tipo de calúnia contra vocês, por causa de mim. Fiquem alegres e contentes, porque será grande para vocês a recompensa no céu" (Mt 5,11-12)

A nona bem-aventurança se refere às pessoas que são perseguidas, sofridas e excluídas por causa de Jesus Cristo. São discípulos e discípulas dele. Essa bem-aventurança revela as tensões e os conflitos enfrentados pelas primeiras comunidades. Elas passaram por uma crise de identidade, com o perigo de abandonar o projeto de Jesus. Houve conflitos internos e externos. A sociedade começou a difamar os cristãos, caluniando-os e perseguindo-os. Tornava-se difícil resistir diante das pressões e tribulações de toda espécie.

O Evangelho lhes lembra de que ser discípulo e discípula de Jesus é ser como os profetas e profetisas do Primeiro Testamento: "do mesmo modo perseguiram os profetas que vieram antes de você" (Mt 5,12).

As primeiras comunidades foram fundamentadas e orientadas pela própria vida sofrida e ameaçada (Mt 10,41-42). Mateus nos diz que todos os discípulos e discípulas são profetas e profetisas, ou seja, são a *boca de Deus*, quando eles se deixam assinalar pelo destino de Jesus e vivem de acordo com seu envio missionário, testemunhando toda a justiça evangélica, em palavras, atos e com a própria vida. Como tais, eles são o sal da terra, luz do mundo e fermento na massa (Mt 5,13-16.33).

O povo é bem-aventurado e feliz, como os profetas e as profetisas, por ser perseguido por causa de Jesus e de seu Reino. O Deus do povo sofredor é um Deus atento ao povo relegado pela insensibilidade e pelas injustiças contra ele cometidas. Sofre e é crucificado com ele.

> Não posso conceber o amor sem a necessidade de conformidade e, sobretudo, de participação em todos os sofrimentos, dificuldades e em todas as durezas da vida. Amamos as pessoas, nossos irmãos e irmãs: queremos participar da vida dos pobres, daqueles que sofrem, simplesmente por amor (Carlos de Foucauld).

Jesus passou por sofrimentos brutais, humilhações, insultos, dores físicas, angústias. Há uma ligação agraciante entre a cruz do Crucificado pobre, a cruz da humanidade empobrecida e a nossa cruz de cada dia. Há, na verdade, em cada momento de cada dia, a continuação da paixão de Jesus e dos pobres. O espírito de imolação, de oblação, de reparação, faz penetrar um pouco de vida agraciante nesse imenso sofrimento, enraizando nele a cruz de Jesus.

O verdadeiro espírito de Jesus, o Crucificado pobre, é uma compaixão, é uma comunhão fraterna com a obra da redenção. Não seremos plenamente salvadores com Jesus Crucificado, enquanto deixarmos reviver em nós seus próprios sentimentos. Aí reside todo o mistério do Sagrado Coração de Jesus.

Seremos bem-aventurados com Jesus Crucificado à medida que o deixarmos reviver em nós seus próprios sentimentos. Uma espiritualidade profética envolve a vida inteira e a vida toda. Exige uma verdadeira libertação das coisas materiais, do consumismo desenfreado, das necessidades burguesas e supérfluas. Queremos permanecer em profunda sintonia e amizade com Jesus como nosso único referencial.

Capítulo 3

Espiritualidade de uma fraternidade eucarística

Uma contemplação missionária da Eucaristia

A Eucaristia é o momento contemplativo e vivencial em que Jesus vem como nosso Irmão Bem-amado, amando-nos e encarnando-se entre nós. Jesus nos agraciou com as suas motivações, seus gestos amorosos e a sua maneira de ser e viver. A Eucaristia na vida é o modo de firmarmos nossos passos no discipulado missionário. Na primeira carta de João está escrito: "O amor consiste no seguinte: não fomos nós que amamos a Deus, mas foi ele que nos amou e nos enviou o seu Filho como vítima expiatória por nossos pecados. Quanto a nós, amemos, porque ele nos amou primeiro" (1Jo 4,10.19).

A Eucaristia é Jesus-Amor amando-nos, comungando-nos e contemplando-nos! Somos amados, comungados e contemplados primeiramente pela gratuidade de amor plenificante de Jesus. Assim, somos espiritualmente capacitados por amar, comungar e contemplar! Nesse contexto, ninguém nunca é excluído do amor de Jesus. Todos são sempre incluídos. O coração sagrado e fraterno de Jesus permanece sempre de *braços abertos*, sem condições ou exigências especiais. Ele só ama, comunga e contempla assim como ele foi amado pelo Pai (Jo 15,9).

Viver eucaristicamente é viver e conviver na dinâmica e mística de Jesus. É abraçar um seguimento radical de Jesus com motivações e opções fundamentadas na lucidez e clareza evangélicas. A vida eucarística sempre deve ser uma vida de muita intimidade e amizade profunda.

O Evangelho joanino – Evangelho do discípulo amado – tem uma bela maneira de apresentar e descrever a vida eucarística das primeiras comunidades do Movimento de Jesus (Jo 6,1-71). Na primeira Páscoa da caminhada exodal, o povo hebreu atravessou o mar Vermelho (Ex 14). Na nova Páscoa, Jesus atravessou o mar da Galileia.

Ambas as travessias atraíram uma grande multidão do povo faminto. No deserto Jesus percebeu a fome aguda dos pobres. No primeiro êxodo, Moisés deu de comer o *maná* – o pão descido do céu (Ex 16). O texto propõe duas soluções. Filipe, com o jeito econômico do Templo, disse que não tinha como saciar a fome da multidão. André, com o jeito do Pequeno Resto de Javé, propôs a partilha: *Aqui tem um menino com cinco pães de cevada e dois peixinhos* – a marmita dos pobres. O menino colocou *tudo em comum*. Jesus pegou os pães, agradeceu a Deus e distribuiu ao povo. O Evangelho de João evoca nesse gesto da partilha dos pães a ceia eucarística que é celebrada nas primeiras comunidades cristãs do Movimento de Jesus. Isso se tornou um símbolo do eu, que deve acontecer nas comunidades e em cada celebração da ceia.

A partilha de vida e dos bens materiais é a base da caminhada exodal-pascal do povo de Deus. É a opção pela comensalidade: somos todos irmãos e irmãs compartilhando a nossa vida e o pão nosso de cada dia (At 2,42-47). Colocando em comum nossos *cinco pães e dois peixes*, entramos na dinâmica da providência (Mt 6,24-34). Isso faz recordar a pequena oração de Jesus: "tudo que é meu é teu, e tudo que é teu é meu" (Jo 17,10).

Hoje a nossa economia é desafiada pelo sistema neoliberal. Embora tenhamos que conviver com esse sistema excludente, não nos podemos deixar contaminar pela prática enganadora, falsa e mentirosa. O Evangelho de Jesus deve servir de realimentação da nossa mística e das opções de vida.

O *vinho novo* da fraternidade eucarística

Jesus inicia sua vida missionária numa festa de casamento em Caná da Galileia, a uns 15 km de Nazaré (Jo 2,1-12). Alguns acham que ele devia ter frequentado regularmente esse povoado junto com seu pai José, como boia-fria na colheita das uvas. Lá vivia um povo muito sofrido, muitas vezes ameaçado de perder suas terras, por causa da ganância e avareza dos latifundiários do Império Romano e da elite de Jerusalém.

O elemento do *vinho novo* destaca o caminho que Jesus fez como peregrino itinerante. O vinho fazia parte da celebração festiva do casamento e sustentava a alegria participativa do povo. Jesus ofereceu *vinho novo*, o vinho do renascimento do homem novo, mulher nova, povo novo (Ef 4,24). A festa do casamento simbolizava a aliança entre Javé e seu povo.

> Como o jovem se casa com uma jovem, o seu criador casará com você; como o esposo que se alegre com a esposa, seu Deus se alegrará com você (Is 62,5).
>
> Agora, vou seduzir Israel, vou levá-la ao deserto e conquistar teu coração. Devolverei as videiras; tudo se transformará em Porta de Esperança. Eu me casarei com você para sempre na justiça e no direito, no amor e na ternura. Eu me casarei com você na fidelidade e você conhecerá Javé. Você é meu povo (Os 2,16ss).

Na entrada da sala ficavam seis potes vazios que eram usados para fazer a purificação externa dos judeus. São apenas aparências externas, mediações sem conteúdo. Ao encher os potes com água e tirar a água para colocá-la no *sétimo pote* (símbolo da nova Comunidade de Jesus), há a proclamação do vinho novo como o mandamento novo: "Amem-se uns aos outros. Assim como eu amei vocês, vocês devem se amar uns aos outros. Se vocês tiverem amor uns para com os outros, todos reconhecerão que você são meus discípulos" (Jo 13,34-35).

É o carisma do amor maior. Esse amor, como missão do Espírito, cria uma nova aliança, agora inscrita no coração do povo, banhado na humildade kenótica:

> A aliança é a seguinte: Colocarei minha Palavra em seu peito e a escreverei em seu coração; eu serei o Deus deles, e eles serão o meu povo (Jr 31,33).
>
> Derramarei sobre vocês uma água pura, e vocês ficarão purificados de todas as suas imundícies e ídolos. Darei para você um coração novo e colocarei um espírito novo dentro de vocês. Tirarei de vocês o coração de pedra e lhes darei um coração de carne (Ez 36,25-26).

Lucas nos lembra de que *vinho novo* deve ser colocado e guardado em *barris novos*: senão o vinho novo arrebentará os barris velhos e o vinho se derramará. *Vinho novo em barris novos* (Lc 5,37-38). Os barris velhos simbolizam o sistema judaico daquela época, ligado à ideologia do Império Romano, que não aceitava Jesus e o povo pobre que vinham trazendo uma nova dinâmica e mística do Reino – o Reino a partir dos pobres. Jesus não propõe uma reforma superficial. Ele proclama uma mudança radical no modo de ser, viver e agir. Suas opções missionárias e as bem-aventuranças são pistas concretas – barris novos! – para sustentar o vinho novo da nova aliança de amor.

Quando Jesus estava agonizando na cruz dos pobres (Jo 19,25-30), ele gritou bem alto: *Tenho sede!* Quando o povo em Caná pediu mais vinho para a festa, Jesus saciou sua sede com vinho novo. Mas, perto da cruz, como resposta a seu grito, ele recebeu vinho estragado – vinagre! Neste *último lugar de sua kénosis*, Jesus foi acometido por esse gesto de ódio e desprezo! A aliança foi realizada!

Somos chamados hoje, quando oferecemos o *cálice do vinho novo* no momento celebrativo da Eucaristia, a relembrar a mística do vinho novo e, assim, a reassumir nosso comprometimento missionário de oferecer e beber sempre o cálice do amor de Jesus, que é derramado em nossos corações.

Pelo Pão da Palavra, somos amados e comungamos por Jesus (Jo 6,35-50)

Jesus veio entre nós para deixar a sua Palavra ser inspiração facilitadora para uma verdadeira e nova liberdade evangélica. A Palavra se fez vida no coração da humanidade:

> Na Palavra estava a vida e a vida era a luz dos seres humanos. A Palavra deu o poder de se tornar filho e filha de Deus a todos aqueles e aquelas que a receberam, isto é, quem acredita no seu nome. A Palavra se fez povo e habitou entre nós. E nós contemplamos a sua glória: a glória do Filho único do Pai, cheio de amor e fidelidade. Da sua plenitude todos nós recebemos, e um amor que corresponde ao seu amor (Jo 1,1ss).

O salmista nos recorda: "Tua Palavra é lâmpada para os meus pés e luz para o meu caminho" (Sl 119,105).

Na vida de cada ser humano há fome e sede de descobrir a raiz da própria existência. O que faz nascer sonhos e desejos e ocasiona uma busca incessante por conhecer e saborear seu mistério de amor.

Somente Jesus pode nos levar à descoberta profunda das nossas vidas. Pela sua Palavra, ele vem nos amar e comungar dentro da realidade nossa de cada dia. Ele comunica com alegria o caminho a ser seguido para melhor assumir nossa vida. Acertar o caminho próprio é uma tarefa que requer muito discernimento.

Pela Palavra Jesus vem nos amar e comungar dentro da realidade nossa de cada dia. Ele comunica com alegria o caminho a ser seguido para melhor assumir nossa vida nos seus passos missionários. Faz lembrar a preocupação de Tomé quando Jesus dizia que ia embora: "Senhor, como podemos conhecer o caminho? (Jo 14,5). Jesus respondeu a Tomé: "Eu sou o Caminho, a Verdade e a Vida" (Jo 14,6). Essa é a resposta de Jesus para todos nós! A Palavra dele nos leva a saborear sua presença comunicadora e inspiradora. Jesus, pela sua Palavra, nos oferece belas pistas para melhor escolher o caminho da nossa *cristificação*.

Jesus Caminho ilumina nossa vontade com seus sonhos e desejos para manter uma sintonização espiritual que garanta sempre uma orientação sadia e sincera. Quando nós nos colocamos com simplicidade e humildade diante da Palavra e pedimos que Jesus nos mostre o caminho, o Espírito nos faz caminhar nesse processo libertador. O salmista canta: "Ensina-me o teu caminho Javé, e caminharei segundo a tua verdade" (Sl 86,11).

Jesus Verdade trabalha nossa formação como discípulo amado do Mestre. "Todo discípulo bem formado será como seu mestre" (Lc 6,40). A Palavra trabalha a nossa *metanoia*, ou seja, a mudança da nossa mentalidade, da nossa visão e da maneira como discernimos nossa vida e realidade. Os discípulos de Paulo na Carta aos Efésios diziam: "É preciso que vocês se renovem pela transformação espiritual de inteligência e se revistam do homem novo, criado segundo Deus na justiça e na santidade que vem da verdade" (Ef 4,17).

Jesus dizia:

Eu nasci e vim ao mundo para dar testemunho da verdade. Todo aquele que está com a verdade ouve a minha voz (Jo 18,31). Se vocês permanecerem na minha Palavra, são de fato meus discípulos; conhecerão a verdade e a verdade libertará vocês (Jo 8,31-32). Em favor dos meus discípulos eu me consagro a fim de que também eles sejam consagrados com a verdade (Jo 17,19).

Jesus nos ama e se comunica para melhor trabalhar nossa unificação amorosa como filhos e filhas do Pai e irmãos e irmãs dele. Ele traz revitalização para nossa vida e para nosso discipulado missionário. É uma vida nova de pertença e permanência como ramos na videira (Jo 15,1-17). Permanecer na dinâmica do amor, plenificado pelo amor bem vivido e testemunhado, nos leva a uma amizade alegre e comprometedora com nosso Mestre.

Pelo Pão Vivo descido do céu, somos alimentados e fortalecidos (Jo 6,51-58)

Jesus se entregou como alimento para dar vida. Somos muito amados e comungados por Jesus. *Comer a carne de Jesus* significa aceitá-lo como nosso novo Cordeiro Pascal, cujo sangue nos libertará de toda escravidão. *Beber o sangue de Jesus* significa assimilar a mesma forma de viver que marcou a vida dele. Jesus escolheu o gesto da partilha do pão e do vinho como sinal mais sublime de seu projeto, no qual Deus mesmo se torna realidade.

Ao se alimentar de Jesus Pão Vivo, é preciso sempre discernir bem os outros alimentos contaminados pelo veneno da indiferença, da competição, do consumismo, do orgulho e do ciúme. Para permanecer fiel à vida eucarística, é preciso se alimentar do maná da fidelidade à aliança da justiça e do amor.

Pelo pão da fraternidade, vivemos e celebramos a Eucaristia na vida

Jesus manso e humilde de coração (Jo 13,1-17. 34-35). A mansidão é a vivência e convivência da pobreza na concretude da vida. Ela é a força agraciante de ser pobre no espírito como Jesus. É abraçar o seguimento de Jesus, seguindo os passos do Mestre, manso e humilde de coração. No relato do lava-pés no Evangelho de João, Jesus nos ensina os três passos, ou três dimensões da mansidão evangélica: levantar-se da mesa para servir; inclinar-se, encurvando-se em *kénosis* para assumir o último lugar na fraternidade de Jesus; e tocar os pés, lavando-os na mística do mandamento novo.

1º Levantar-se da mesa, assumindo sua missão de servo da fraternidade universal (Is 42,1-9)

É mudar de lugar, abraçar o caminho de uma verdadeira conversão de mentalidade, de coração e de agir missionário. É a coragem de ser, viver e agir de forma diferente – à maneira de Jesus. O que faz nascer, aos poucos, uma nova ou renovada disponibilidade para o pequeno projeto de Jesus. É sempre necessário fazer uma revisão de nossos projetos.

O *projeto de Jesus* teve por objetivo formar um discipulado de amor que passasse pela justiça das bem-aventuranças; o *projeto de Judas* se revelou um discipulado de aparências, pois seu coração assumiu um projeto de traição; o *projeto de Pedro* ficou um discipulado sem clareza, pois em seu coração trazia a ideologia do sistema.

Levantar-se da mesa para abraçar o jeito, a maneira de ser e viver do Mestre. Desejamos ser, viver e agir como Jesus Mestre, Caminho, Verdade e Vida

(Jo 14,6). Jesus foi um profeta pobre que ousou ser diferente dos mestres de seu tempo. Ele fez de sua vida um pequeno Evangelho vivo! Como peregrino e missionário pobre, aprendeu da contemplação da Palavra do Pai o caminho das bem-aventuranças do Reino. Esse Reino foi a implantação dos valores da aliança de amor através de uma ética de vida. Jesus se levanta da mesa para mostrar o caminho de servo (Is 42,1-9; Mt 23,8; 23,11; Rm 1,1), que se vive numa radicalidade do amor. Com Jesus queremos trilhar suas mesmas pegadas, entregando toda a nossa vontade, dispondo-nos a acolher, interiorizar e captar a sabedoria da Palavra e da presença do Espírito.

2º Encurvar-se em *kénosis*, assumindo a mística do último lugar na fraternidade de Jesus

É tornar-se pobre na pequenez evangélica; é ser livre na mística da pureza de coração para viver o dinamismo de uma verdadeira fraternidade. Pela *kénosis*, buscamos ser formados no esvaziamento total de nós mesmos por amor de Deus, imitando Jesus de Nazaré, que se esvaziou da sua própria divindade por amor de nós: a Palavra se fez carne e habitou entre nós. É difícil entender o mistério de um Deus que se faz embrião, criança, jovem e homem, submetendo-se às leis do crescimento humano-espiritual. Se entendêssemos isso, poderíamos começar a entender o imenso amor de Deus por nós. É diante desse mistério que devemos colocar o esvaziamento de toda a nossa vida. Ele deve processar em nós a entrega total da nossa vontade à vontade divina.

Kénosis é um processo que transforma o indivíduo em uma pessoa mais humana e espiritualmente madura. O mundo do sistema opressor sente uma dificuldade enorme em aceitar isso, esse esvaziamento. A *kénosis* nos lava e purifica em Jesus, através dos dons do discernimento e da sabedoria, vindos do Espírito Santo. É uma experiência de sinceridade total que traz muita vida nova para as pessoas.

A nossa vida passa a ser um contínuo esforço de despojamento a fim de nos revestirmos de Jesus. É desse modo que nos tornamos livres, leves e simples, sobretudo, simples! A simplicidade é a essência mesma da *kénosis*: "Aprendei de mim que sou manso e humilde de coração". Paulo faz lembrar que o seguimento de Jesus exige uma verdadeira liberdade de espírito: livre dos instintos egoístas (Gl 5,17-21); guiado pelo Espírito Santo (Gl 5,22-26) e conduzido por Jesus (Gl 6).

3º Lavar os pés na mística do mandamento do amor

Todos os gestos, atitudes e opções nascidos das bem-aventuranças são atos concretos do amor (Jo 13,34-35). É tocar nos pés para facilitar a caminhada evangélica. É chegar até os pontos mais frágeis e fracos para fortalecer a vida, para que a pessoa possa andar fazendo o bem assim como Jesus (At 10,38).

Paulo dizia que somos um só Corpo vivo em Jesus (1Cor 13,1-13; Rm 12,9-21; 7,14-25). A compaixão sempre se revela na comunidade, em uma nova maneira de convivência. A amizade com Jesus é solidariedade com nossos irmãos e irmãs, tanto assim que Paulo chama a comunidade de corpo de Jesus Cristo (1Cor 12,12-27). A convivência comunitária brota de um senso profundo de serem todos chamados a se reunirem para tornar visível a compaixão e a misericórdia de Jesus na concretude da vida de cada dia.

Somos convidados a viver a mística da fraternidade em Jesus, lavando os pés uns dos outros, reconciliando nossas diferenças na busca da unidade evangélica e reconhecendo que cada pessoa é um dom precioso para a comunidade; que cada pessoa tem desejos, sonhos a serem realizados, buscando a unidade pessoal e comunitária; que somos diferentes uns dos outros, com nossas luzes e sombras, dons e carismas, mas que buscamos uma comunhão com o Corpo Vivo de Jesus; que construímos a verdadeira comunidade pela participação, diálogo e comunhão de todos; que todos estão em processo de amadurecimento humano-espiritual, deixando-nos conduzir pelo Espírito de Jesus.

CAPÍTULO 4

Contemplação missionária

Um olhar contemplativo missionário

Nossa espiritualidade e mística missionárias são facilitadas pela contemplação missionária. Descobrimos a maneira de Jesus viver e comunicar vida nova aos discípulos e discípulas e, através deles e delas, ao povo sofrido da sociedade. Contemplar em nome de Jesus faz nascer um coração novo, um espírito novo, um jeito novo de ser, viver, conviver e agir em nome de Jesus. É como se tivesse sido banhado na água viva de Jesus (Jo 4,13-14; 7,37-38; Ez 36,25-27).

A oração de Jesus, orientada para o Pai e em favor do povo, especialmente o povo sofrido, nunca foi intimista nem individualista. Foi, antes, bem enraizada na missão e aberta aos discípulos e ao povo. Jesus leva sua oração ao Pai com alegria, agradece-lhe pelo amor, sendo vivido e acolhido pelos pobres (Mt 11,25-27; Lc 10,21-24; Jo 17,1-26).

Rezar em nome de Jesus é apresentar-se ao Pai com os mesmos sentimentos de Jesus, através de uma vida tomada pela *kénosis*, ou seja, pelo despojamento e esvaziamento (Fl 2,5). Esse é o elemento de profunda humildade, intimidade, amizade e amor a Jesus. O enfoque de toda contemplação é sempre relacional. Deus e a pessoa se aproximam em nome de Jesus. A contemplação autêntica nasce e cresce a partir de um coração pobre e oferecido, que procura com um desejo ardente uma nova luz para guiar seus passos em um discipulado de amor.

Na amizade Jesus revela o que ele ouviu do Pai. Nossa amizade responde a dele ao acolher o que ele nos revela. Por causa da graça dessa amizade mútua, podemos produzir os frutos de uma verdadeira convivência fraterna (Jo 15,16) e sermos ouvidos e atendidos pelo Pai em nome de Jesus. Assim, contemplar é estar em Jesus e participar de sua condição filial de quem ouve o Pai e é por ele ouvido.

Na contemplação, Jesus comunica seu amor, que vai fecundando a realidade com uma nova maneira fraterna de viver e missionar. Só o amor possui o primado sobre todas as coisas. Trata-se de fazer o que faria Jesus, se estivesse neste mesmo lugar onde estamos. Em todas as ocasiões, descobrimos as graças da caminhada, seja em momentos sofridos e desanimadores, ou alegres e consoladores. A contemplação é um momento de transformação com o Mestre, pois tudo se torna tocado por amor! Paulo, discípulo amado do Mestre, resume tudo isso no seu belo cântico de caridade, que se tornou uma fonte inspiradora de toda a vida evangélica (1Cor 13,1-13).

A contemplação missionária nos conduz à prática do mandamento novo (Jo 13,34-35). É novo não por causa de uma novidade, mas por causa de sua radicalidade – amar como somos amados por Jesus! Como caminho de amor, a contemplação é um amor diante da realidade vivida de cada dia: as pessoas, as coisas, os acontecimentos, os sofrimentos, as alegrias. É um amor de abandono oblativo. Pois, estar com Jesus Mestre, seja a seus pés num momento orante pessoal, seja diante de sua presença na realidade do povo, nos faz crescer aos poucos na solidariedade, a partir da amizade e fraternidade.

Como no tempo de Jesus e no tempo das pequenas comunidades nascentes do Movimento de Jesus, ser discípulo missionário e contemplativo com Jesus Mestre e com o povo faz com que sejamos vistos como *sinais de contradição*. Ao ser abraçado e ungido pelo profeta pobre, Simeão, o pequeno Jesus, desde aquele momento, tornou-se *sinal de contradição* (Lc 2,34). Ele será luz numa sociedade judaica banhada nas trevas da corrupção institucional e imperial. Mais tarde, diante do judaísmo formativo (70 d.C.), um novo processo ultraconservador e retrógrado foi lançado contra as comunidades nascentes. Elas foram perseguidas e nesse momento tornaram-se verdadeiros *sinais de contradição* – contradizendo as trevas do sistema político e religioso da época.

Viver na contramão do sistema, como um Evangelho vivo, é fazer com que nosso caminho seja animado no caminho de Jesus, bem fundamentado na mística das bem-aventuranças (Mt 5,1-12); que nossa verdade seja transparente e coerente, autêntica como foi a verdade de Jesus, bem enraizada nas Sagradas Escrituras; que nossa vida seja vivida num estilo simples, austero e pobre, tornando-nos, como Jesus, sal da terra, luz do mundo e fermento na massa.

Contemplação é um encontro cordial de pessoas que mutuamente se amam. Contemplar é amar e deixar-se amar pelo outro. É uma oblação, uma entrega de coração, colocando-se numa atitude de abandono aos apelos do amor. A contemplação sempre nos desinstala e nos leva por caminhos desconhecidos, facilitando um novo olhar sobre a realidade. Começamos a enxergar e ver com um coração e espírito novos (Ez 36,25-28). Isso cria em nós o desejo de fortalecer a vontade de mais pertença e permanência diante da descoberta da presença amorosa de Deus no nosso cotidiano.

A contemplação se vive quando mergulhamos na vida e na luta de todos os dias. Encontramos a Deus não só em espaços retirados e especiais, mas em lugares comuns e rotineiros do cotidiano, no meio do povo, de modo especial entre os mais pobres e abandonados e menos amados.

Dessa forma, a contemplação é uma maneira humilde de manter contato com Deus, no meio da vida, do trabalho, da missão, na luta pela justiça. Deus está no coração da vida e da história humana, bem vivo e atuante.

A oração é a primeira e indispensável prática da compaixão porque é também a primeira expressão da solidariedade humana. O Espírito que ora em nós é o Espírito pelo qual todos os seres humanos são unidos em fraternidade. A intimidade da oração é a intimidade criada pelo Espírito Santo, que, como aquele que cria nova mentalidade e novo tempo, não exclui, mas inclui todos os seres humanos.

Na oração Deus se revela a nós como o Deus que ama todos os membros da família humana, da mesma forma como ama a cada um de nós individualmente.

A contemplação traz uma nova visão de vida. Como uma pequena abelha pousa sobre uma flor com suavidade e ternura para sugar sua doçura, alimentando-se do pólen para fazer a sua colmeia e se manter viva, assim acontece na contemplação da Palavra. A contemplação faz com que a nossa vida seja um pequeno reflexo da vida de Jesus.

Leiamos sempre amorosamente o Evangelho aos pés do Bem-Amado, deixando que nos fale de si mesmo. É preciso que tratemos de nos impregnar do Evangelho de Jesus, lendo e relendo, meditando sem cessar suas palavras e seus exemplos para que eles marquem nossas vidas como a gota d'água que cai sobre uma pedra sempre no mesmo lugar. É preciso ler e reler sem cessar o Evangelho a fim de pensar, falar e agir como Jesus.
Toda a nossa vida, todo o nosso ser deve gritar o Evangelho. Nossa pessoa deve respirar Jesus, nossos atos e nossa vida devem gritar que somos de Jesus, devem ser uma imagem de vida evangélica. Toda vida deve se tornar uma pregação viva, um pequeno reflexo de Jesus, que faça ver a Jesus, algo que brilhe como uma imagem de Jesus. Voltemos ao Evangelho! Se não vivemos o Evangelho, Jesus não vive em nós. Toda a nossa vida deve respirar Jesus! Gritemos o Evangelho pela nossa vida (Escritos espirituais de Irmão Carlos de Foucauld).

O caminho contemplativo de Jesus de Nazaré aconteceu também na sua convivência no meio do povo nazareno. Nessa realidade, Jesus encontrou a fonte de sua oração não só ao Pai, como também em favor dos pobres mais abandonados. A oração é sempre a partir da vida e da realidade de cada dia. Jesus nunca foi monge num mosteiro, nem homem consagrado num convento. Foi simplesmente um homem do povo, dos pobres, que trabalhava como carpinteiro com seu pai José e nas vinhas, como seu povo nazareno. Foi homem nazareno por inteiro. Tornou-se irmão universal e amigo dos pobres mais pobres. Ele fez de sua vida de cada dia um pequeno *Evangelho vivo*, uma tenda de acolhida (Ex 33,7-10; Jo 1,14) para as pessoas.

É no coração dos pobres que o Evangelho de Jesus frutifica. A contemplação missionária nos encanta e proporciona um encontro libertador com essa fraternidade dos pobres. Ela nos encanta como um sorriso em que desabrocha o espírito, semeando, na vida, a alegria do amor! Ela é uma maneira humilde de manter contato com Deus no meio da vida de cada dia, dos trabalhos profissionais e apostólicos, da missão. Deus está no coração da realidade. Pela contemplação, vivemos a nossa realidade no coração de Deus!

O caminho de oração vivido por Jesus de Nazaré – Lc 11,2-4

Jesus é nosso modelo de oração. Nos mais importantes momentos de sua vida, ele rezava. Sempre se retirava para lugares desertos e silenciosos, a fim de rezar ao Pai. A oração é o caminho para um discípulo se exercitar nos sentimentos e nas atitudes de Jesus, a fim de ficar compenetrado de seu espírito. Antes de tudo, vemos Jesus inserido na vida de seu povo, rezando do jeito que o povo judeu rezava. Ia às sinagogas ao sábado. Rezava abençoando os alimentos. Sabia salmos de cor. Além disso, Jesus tinha sua vida de oração pessoal. Gostava de rezar. Passava madrugadas e noites de vigília em oração. Retirava-se para lugares desertos, para estar a sós com Deus e discernir a missão recebida e alimentá-la.

Tantas vezes os discípulos encontravam Jesus rezando. Numa dessas vezes, um de seus discípulos lhe pediu: *Senhor, ensina-nos a rezar.* Jesus ensinou sua oração como uma bela pista de toda oração. O Pai-Nosso nos faz subir ao monte com Jesus e rezar ao Pai numa entrega total. Depois da oração, é hora de descer da montanha, desarmar as tendas e ir ao encontro dos que sofrem e do nosso próprio caminho de vida missionária. A oração do Pai-Nosso é um modo de amadurecer no processo de cristificação.

A contemplação da oração do Pai-Nosso é uma proposta para iniciar *uma caminhada de revisão espiritual*. Essa oração é o resumo de todo o Evangelho.

Pai, santificado seja teu nome

Iniciamos a oração chamando a Deus de Pai. Um Pai que não é só meu, mas nosso, portanto, se temos um Pai em comum, somos irmãos e irmãs. Como irmãos e irmãs, procuramos viver como uma família e comunidade fraterna com muito amor, reverência e respeito. Se Deus é Pai, somos filhos e filhas, e assim somos convocados a nos comportar como tal.

No silêncio e na oração, buscamos essa fonte e não paramos enquanto o nosso coração não descansar em Deus. Somos o que somos pelas relações que vivemos. Buscamos sempre na relação maior transparência, honestidade e sinceridade. Há desejo de se comunicar e estar perto. A oração e a vida estão unidas. Deus está em tudo. Damos espaço para ele.

Santificado e amado seja o nome de Deus! Que o nome de Deus seja conhecido, glorificado e anunciado! Isso acontece quando vivemos a prática do mandamento novo do amor fraterno e da justiça: "Amem-se uns aos outros como eu amei vocês. Por esse amor fraterno o mundo reconhecerá que vocês são meus discípulos e minhas discípulas" (Jo 13,34-35). No Evangelho de Mateus, esse mandamento novo é vivido pela prática das *bem-aventuranças* (Mt 5,1-12). Santificamos o nome de Deus quando damos continuidade à vida missionária assumida por Jesus.

Santificar o nome de Deus é procurar realizar o projeto de Deus, no amor, na justiça e na paz. Significa pertencer e permanecer na mística de Jesus de Nazaré. "Ao nome de Jesus todo joelho se dobre nos céus e sob a terra" (Fl 2,6-1).

Venha teu Reino

Jesus veio pregar o Reino e formar um povo novo. Jesus fala das condições para entrar no Reino. Qual era o Reino esperado por Deus, o Reino de Jesus? O que é preciso para entrar no Reino? O que é preciso para seguir Jesus e anunciar esse Reino?

Abraão, com seus 75 anos, foi escolhido para iniciar o Reino de Deus no mundo. Ele abandona a sua vida segura, desprende-se das certezas humanas e fundamenta sua vida em Deus. Só quando abrimos espaço para o Reino é que esse Reino pode acontecer. Todo resposta ao chamado exige renúncia, desprendimento, esvaziamento. Cada pessoa deve estar disponível nas mãos do Pai, para pertencer totalmente a ele sem medir, sem calcular – sem medo! Não tenha medo de pertencer a Deus, de amar e ser amado.

Mateus, no seu Evangelho, coloca o Reino como a mística fundamental do seguimento de Jesus de Nazaré. "Busquem primeiro o Reino de Deus e sua justiça, e todas essas coisas ficarão garantidas para vocês" (Mt 6,33). Uma leitura orante e contemplativa desse Evangelho pode abrir para nós um sentido mais ampliado da espiritualidade e mística do Reino sonhado por Jesus.

Mateus divide seu Evangelho em cinco partes, como uma ressonância dos cinco livros da Torá:

1º Buscar o Reino e a sua justiça (capítulos 5–7).

2º O Reino se manifesta pela justiça e misericórdia (capítulos 8–10).

3º O mistério do Reino proclamado pelas parábolas (capítulos 11–13,52).

4º O compromisso missionário com a dinâmica do Reino (capítulos 13,53–17).

5º O comprometimento com o Reino da justiça (capítulos 18–25).

Para o Irmão Carlos de Foucauld, viver a dinâmica e a mística do Reino é ver e viver tudo a partir de Nazaré. Em Nazaré, Maria se entrega como fez Abraão. Deus providenciará! A busca da vontade de Deus nos faz entrar no mistério de Deus e exige entrega e disponibilidade. Não ficar na superfície das coisas. Na encarnação Jesus assume a pobreza do ser por mim e por todos. Porque só se ama o igual, isto é, aqueles com quem partilhamos a nossa vida e as nossas coisas. Jesus não olha o mundo de cima para baixo, mas de igual para igual.

Abrimos espaço na nossa vida para que Deus aja, para que a transforme radicalmente da maneira que ele deseja. Isso significa ter consciência de que em qualquer lugar onde estivermos, seja neste mundo, seja em outro, é Deus quem nos guia. Significa saber que é Deus quem conduz a nossa vida como bom pastor e que, assim, nunca devemos ter medo de agir.

O pão nosso cotidiano dá-nos a cada dia

Queremos caminhar para a solidariedade e a partilha. A oração não se distancia da fome e da realidade do mundo. Eucaristia é a partilha: do pão (Jo 6,1-15)! Pão para Jesus é motivo de solidariedade e fraternidade (At 2,42-47). Mas não é só o pão que se deve partilhar. Terra e comida fazem parte da promessa feita a Abraão. Aliança e comida. A fome de justiça e da Palavra de Deus deve ser a motivação que nos leva a abraçar a missão.

Pão é também festa para os pobres que partilham: os ricos ficarão de mãos vazias (Lc 1,53), como nos mostra a profecia de Maria no *Magnificat*. Felizes os famintos porque serão saciados (Lc 6,21). Já que há um único pão, somos um só corpo, visto que todos participaram do mesmo pão da Eucaristia (1Cor 10,17). Jesus se preocupa com a fome e tem compaixão do povo.

No episódio da multiplicação dos pães, os discípulos não se sentiam capazes de alimentar tanta gente. Nós também nos sentimos incapazes diante dos problemas que vivemos no mundo de hoje. Mas o alimento trazido pelo menino foi multiplicado (Jo 6,9). Pequenos gestos são o segredo do Reino! A partilha do meu pão é a partilha que Deus começa a realizar no mundo dos famintos.

Perdoa-nos os nossos pecados, pois nós também perdoamos os nosso devedores

Pedimos ao Pai que perdoe as nossas ofensas na condição em que eu perdoar o meu irmão, à medida que eu perdoar aqueles que me magoaram ou me ofenderam. O perdão é um dos maiores desafios do discípulo e discípula de Jesus. Jesus dizia que o perdão é condição essencial para entrar no Reino. À medida que medirmos, também seremos medidos. À medida que julgarmos, também seremos julgados.

O tema da *compaixão e misericórdia* é fundamental na nossa vida. O que vale é o amor. Quem ama muito, muito perdoa. Perdoar é consequência do amar. É a inspiração do Espírito que vem recriar a pessoa na plenificação do amor – o amor sem limites. "Se alguém está em Cristo é nova criatura. Passaram-se as coisas antigas, agora tudo é novo, tudo vem de Deus" (2Cor 5,17).

Jesus nos ensinou uma oração coerente e desafiadora. Perdoar como Jesus perdoa é um dos maiores desafios em nossos tempos. Diante de um mundo que, na prática, nos ensina o *olho por olho, dente por dente*, e que se deve *pagar o mal com o mal*, Jesus propõe *dar a outra face*, o perdão sem limites, amar os inimigos, rezar por aqueles que nos perseguem e caluniam.

Trata-se de sermos coerentes com nós mesmos, com os outros e com Deus (Mt 18,23-35). Amar a Deus significa amar o irmão, porque, "quem não ama o irmão, a quem vê, não pode amar a Deus, a quem não pode ver" (1Jo 4,20). O culto a Deus sem reconciliação com o irmão é idolatria (Mt 5,23-24).

O perdão é uma das ações mais belas que um ser humano pode realizar. É o perdão que revela a parcela divina que há em nós. Quem não é capaz de perdoar, não é capaz de amar. Quem ama, perdoa e sabe compreender a fragilidade das outras pessoas. O perdão é a chave para a liberdade. Onde não há perdão, não há paz. Quando não há perdão, contribuímos para que se instale um clima de guerra e traições. Querer vingar-se o tempo todo faz das pessoas seres difíceis, porque a vingança – e de modo especial a vingança agressiva – torna-nos iguais ao inimigo; o perdão faz-nos livres como Jesus. Somente o perdão limpa a consciência e nos traz uma paz que não tem preço.

Não nos deixes cair na tentação

Somos tentados todos os dias e de diversas formas. As tentações do *ser*, do *ter* e do *poder* são as mais frequentes. É preciso sempre um bom discernimento diante das tentações, para vivermos como pessoas iluminadas pelo Espírito de Jesus de Nazaré. A luta contra o mal atravessa toda a nossa existência. Como

Jesus, nós também passamos pelas mesmas provações (Lc 4,1-13).

Vale lembrar que tentação é sempre algo que aparenta ser bom, muito bom, senão não nos sentiríamos tentados. Na nossa vida, há momentos que são mais oportunos que outros para as tentações. A tentação é oportunista, aparece nos momentos de debilidade, de falta, de carência e, principalmente, nos momentos de aridez da nossa fé, quando fraquejamos na oração. São nos *desertos da vida* que somos mais tentados.

Toda libertação do mal é dom da gratuidade da misericórdia de Deus. Grande liberdade interior é ser capaz de dar tudo a Deus e aos irmãos e irmãs. Experiência alegre e missionária. Experiência de grande liberdade em relação a tudo e de grande sentido da vida. Pela liberdade dada, experimentada e bem vivida, um discípulo ou discípula experimenta o amor incondicional de Deus. Encontrar em Deus o seu porto seguro, vivendo um verdadeiro encontro de amor, firma os laços de liberdade assumidos no Batismo. A pessoa vive na presença de Deus, no *sagrado deserto interior* do seu coração. Mergulha na dinâmica agraciante da *cristificação* (Gl 2,19-20).

Um grande amém!

Terminamos a oração do Pai-nosso com um grande amém! Amém significa, entre outras coisas, *estou de acordo, eu concordo, eu compactuo* com tudo isso. Dizer amém é o mesmo que dizer *sim*. É colocar-se à disposição de Deus: *Faça-se em mim segundo a tua Palavra*! Ao dizer amém ao término de uma oração como o Pai-nosso, estamos assumindo uma atitude provocadora de não mais compactuar com uma religião que tem um Deus distante, confinado no céu, como se lá fosse um espaço que não se mistura com a terra, com o mundo.

Ao dizer *amém* nos comprometemos também a santificar o nome de Deus através de nossos pensamentos, sentimentos, palavras e ações, para fazer com que o Reino dele venha, de fato, para toda a humanidade. Isso quer significar que concordamos com ele que o pão é para ser partilhado e não acumulado. Dizer amém ao pão de cada dia é confiar na providência de Deus, que sabe do que precisamos para viver. É confiar na compaixão e na misericórdia de Deus, que nos perdoa incondicionalmente, mas quer que façamos o mesmo. É confiar que ele, somente ele, pode nos livrar das tentações. Esse poder ele nos concede através da fé e da confiança.

O Evangelho de Jesus nasceu nas pequenas e pobres comunidades fraternas, surgidas no Movimento de Jesus. Essas comunidades começaram a ler a Palavra, as Sagradas Escrituras, à luz da sua realidade sofrida e oprimida. Elas se interessaram em viver a Palavra de Jesus, criando laços de profunda fraternidade e solidariedade. A amizade e a caridade foram dons especiais que fortaleceram a nova caminhada do discipulado em Jesus. A contemplação é uma bela e simples maneira de fazer a leitura orante da Palavra de Deus.

Discípulos e discípulas: contemplativos na missão

A contemplação é ver, é deixar-se tocar profundamente pelo Evangelho que chega até nós sempre com uma novidade inspiradora e agraciante. Tanto quando me detenho aos pés de Jesus Mestre como seu discípulo, como quando me detenho diante de sua presença no povo e na realidade da missão, há sempre uma nova encarnação concreta de Jesus por meio de seu Espírito. Ela supõe uma abertura interior à presença do Espírito atuante nas pessoas e na realidade diária. Tudo que existe tem um toque do sagrado, embora, às vezes, esteja escondido e a ser descoberto e revelado. A convivência com as pessoas na realidade do dia a dia é sempre uma *nova Palavra de Deus* para nós.

Como encontrar na vida as condições de uma contemplação autêntica? Para aprender a rezar é, pois, preciso simplesmente rezar, rezar muito, e saber recomeçar sempre a rezar sem desanimar, mesmo se não houver resposta ou nenhum resultado aparente. Jesus insistiu muito na perseverança.

Contemplar é amar. É um encontro fraterno e amigo entre duas pessoas que se amam intensamente. Só a fé nos fará desejar os momentos de oração. Esse desejo se implantará pouco a pouco, preparando, assim, o caminho da oração. Mas o melhor meio de desejar o encontro com Jesus na contemplação é ir a ele com coração aberto e amigo. É preciso aprender a rezar em permanência, fora dos momentos de oração pura. É necessário rezar sempre, em todas as nossas ações, no trabalho, na pastoral, na rua, nos encontros informais de cada dia. É preciso estar constantemente na presença de Jesus. No silêncio das horas passadas aos pés de Jesus, para só olhá-lo, nascerá o desejo profundo de não viver senão para ele.

Pequenos e concretos passos para rezar

> Quando você rezar, entre no seu quarto,
> feche a porta e reze a seu Pai, que vê em segredo.
> Seu Pai, que vê no segredo, o recompensará.
> (Mt 6,6)

Cada encontro orante com o Mestre Jesus é uma amorosa renovação da aliança do amor. Jesus continua agraciando nossa vida com sua presença e palavra inspiradora e libertadora. Cada momento orante é um encontro na *tenda do encontro*. Jesus é a verdadeira tenda de encontro, pois a Palavra-Jesus se fez presença encarnatória no coração de Maria, e, nela, no coração da humanidade. Jesus é a tenda onde fazemos morada contemplativa (Ex 33,7-11; Jo 1,14;

Lc 1,26-38). Na tenda, Deus toma pessoalmente a iniciativa do encontro. É ele quem o dá, quem marca o encontro de ternura, onde cada pessoa pode falar como amiga.

Entre no seu quarto. É o primeiro passo para oração. É preciso entrar no nosso interior. Isso exige esforço: *Façam todo o esforço possível para entrar pela porta estreita* (Lc 13,24) *da sua interioridade.* Nossa vida é uma caminhada para o nosso espaço sagrado e escondido, nossa *tenda de encontro* (Ex 33,7-11; Jo 1,14). O quarto é o espaço onde Deus faz sua passagem pela nossa vida, pelo nosso cotidiano, pela nossa história. O momento do encontro é também *a visita* de Deus. Recordamos o quarto do profeta Eliseu (2Rs 4,9-11), que se tornou um ícone: *um quarto pequeno, uma cama, uma mesa, um banco e uma lâmpada.* Espaço pequeno, lugar de encontro. Pobre e, assim, acolhedor. É preciso saber e desejar estar sozinho nesse quarto de encontro. É um lugar reservado para o encontro com o Santo!

Feche a porta. Ao entrar no quarto, há uma ascese ou disciplina a ser assumida. No nosso espaço interior buscamos uma renovada conversão. Isso exige mais cuidado. Rezar é abraçar a simplicidade no Espírito de Jesus.

No livro do Apocalipse está dito: "havia uma pequena porta aberta no céu, e a primeira voz me disse: 'Suba até aqui, para que eu lhe mostre as coisas da realidade'" (4,1-2). Existe uma relação profunda entre o fechamento da porta do nosso quarto e a abertura da porta do céu. O fechamento condiciona a abertura da porta do céu. A porta que se fecha é a ascese da oração. A porta que se abre é a graça da oração.

Reze a seu Pai, que vê em segredo. É o terceiro passo. A palavra *pai* é a *senha* que nos é dada, a chave da oração.

Há um só Deus e Pai de todos, que está acima de todos que age por meio de todos e está presente em todos (Gl 4,6). Do mesmo modo, também o Espírito vem em auxílio da nossa fraqueza, pois nem sabemos o que convém pedir; mas o próprio Espírito intercede por nós com gemidos inefáveis. E aquele que sonda os corações sabe quais são os desejos do Espírito, pois o Espírito intercede pelos cristãos de acordo com a vontade de Deus (Rm 8,26-27).

O ser humano que reza e pronuncia *Abbá* em espírito e em verdade, entra nesse intercâmbio amoroso de encontro (Jo 4,23). É a verdadeira oração, adoração e contemplação. Ele entra, vive e é arrastado na grande circulação trinitária. Ele é pessoalmente tomado e possuído pelo divino – *divinizado*! A oração que Jesus nos ensinou é o livre acesso à própria vida na Trindade.

Seu Pai, que vê no segredo, o recompensará. Um quarto passo. Esconder-se em Deus! Não é apenas o ser humano que se esconde em Deus: é Deus que, graciosamente, esconde o ser humano em si mesmo: "Deus me oculta na sua cabana, ele me esconde no segredo de sua tenda" (Sl 27,5); a oração se passa ainda no segredo da tenda, pois nosso Deus vive sob a tenda: "Sempre andei errante sob uma tenda e um abrigo" (2Sm 7,6).

Por todo o tempo de nossa oração, estamos na tenda de Deus. Só existe uma tenda. Deus fez uma tenda para todos nós, e essa tenda única e definitiva da nossa vida com ele é Jesus encarnado em Maria, e, nela, em toda a humanidade. "Eis a tenda de

Deus com os seres humanos" (Ap 21,3). Nossa oração se passa no segredo da tenda, isto é, na pessoa de Jesus encarnado. Jesus é a presença do Pai, o ícone vivo do Pai, Caminho, Verdade e Vida. Nós rezamos no segredo. O Segredo é Jesus! Permanecemos escondidos.

O momento da oração é a graça de escutar o silêncio fluindo em nós. No fundo do coração que reza, contempla e adora, Deus faz um *ruído de água viva*, que flui bem no fundo. É ali que ele brota bem no meio; é ali que ele passa: "O anjo mostrou para mim um rio de água viva, era brilhante como cristal; o rio brotava do trono de Deus e do Cordeiro" (Ap 22,1). No encontro contemplativo com a samaritana, Jesus disse: "Quem bebe a água que eu vou dar esse nunca mais terá sede. E a água que eu lhe darei, vai se tornar dentro dele uma fonte de água que jorra para a vida eterna" (Jo 4,14).

A ascese de oração é um processo, ascese de empobrecimento, de *kénosis*. Para entrar no Reino da Presença, precisamos entregar tudo; não somente nossos bens materiais e exteriores, mas até mesmo todos os nossos bens interiores, renunciando a toda pretensão e egoísmo. Não se reza, de verdade, a não ser na condição de despossuído. A oração é o caminho mais radical da pobreza em espírito: meu tudo simples, todo nu, todo pequeno diante da tenda de sua presença amorosa. É o momento do maior abandono oblativo.

Contemplativos e adoradores em espírito e verdade

No espírito de Carlos de Foucauld, somos chamados a desenvolver uma vida de contemplação e adoração inserida na nossa realidade cotidiana. É uma das maneiras que escolhemos para abraçar a cruz dos pobres. Criamos, aos poucos, um coração contemplativo – uma pequena tenda de encontro. Temos como missão clamar a Deus pela dor da humanidade, oferecer nossa vida para que outros tenham mais vida. Nossa oração é um meio eficaz para manter-nos nesse espírito missionário. Um contemplativo missionário faz de sua vida uma presença orante no coração da realidade por ele vivido cada dia. É uma presença de paz, serenidade, amizade, bondade, intercessão, purificação, aconselhamento.

Isso exige uma disponibilidade e uma docilidade ao Espírito. A pessoa percebe sua permanência com Jesus e sua inserção missionária com a realidade que a cerca. Iniciamos cada dia com um momento da leitura orante e contemplativa da Palavra de Deus. Lembramos bem a palavra do profeta Isaías:

> O Senhor Javé me deu a capacidade de falar como discípulo, para que eu saiba ajudar os desanimados com uma palavra de coragem. Toda manhã ele faz meus ouvidos ficar atentos para que eu possa ouvir como discípulo (50,4).

A *oração de abandono* de Irmão Carlos de Foucauld pode facilitar nossa entrada na mística do mistério do amor maior! Abandonamos toda a nossa vida a Deus, reconhecendo a sua tomada de posse sobre nós. A *oração de abandono* atribuída ao Irmão Carlos:

> Meu Pai, eu me abandono em ti. Faze de mim o que quiseres. Por tudo o que fizeres por mim, eu te agradeço. Estou disposto a tudo, aceito tudo, contanto que tua

vontade seja feita em mim e em todas as tuas criaturas. Não desejo nada mais, meu Deus! Ponho minha vida entre tuas mãos. Entrego-a a ti, meu Deus, com todo o ardor do meu coração, porque te amo e é para mim uma necessidade de amor, dar-me, entregar-me sem medida, com infinita confiança, porque tu és meu Pai. Amém.

Quando a samaritana perguntou a Jesus onde e como devemos adorar de verdade, Jesus respondeu com uma boa dica, que vale para nós hoje! Jesus dá a entender que nem no Templo de Jerusalém no sul, nem no Templo de Garizim no norte se encontra o espaço adequado para uma verdadeira adoração, pois os dois templos dividem as pessoas por causa das lutas econômicas, sociais, políticas e religiosas.

Jesus abre um horizonte novo: adorar em espírito e verdade (Jo 4,19-26). Adorar em espírito é deixar-se guiar e conduzir pelo Espírito de Jesus de Nazaré com toda liberdade e pureza de coração. Adorar em verdade é alimentar-se da força inspiradora e libertadora da Palavra de Jesus com um coração possuído pelos pensamentos, sentimentos e opções de Jesus. É o novo templo, a nova tenda de encontro – o coração humano mergulhado no coração de Deus e Deus reinando no coração humano! Essa conformação com a Palavra gera autenticidade, transparência e uma bela pureza de coração. O sinal de um verdadeiro adorador é a mansidão, ou seja, a amabilidade.

Adoração é amar a Deus, reconhecendo-o como o absoluto da vida. É um total e radical abandono nele. Meu Deus, meu tudo! Entregamos todas as fibras do nosso ser ao amor de Deus. Quando a presença de Deus impregna cada coisa, não existe lugar para mais nada dentro de nós, nada mais tem poder sobre nós. Um exercício simples para entrar na dinâmica do amor na adoração é fazer uma oblação de nossa vida, corpo, alma e espírito, começando pelos nossos pés e subindo por todo o corpo até a cabeça. É simplesmente entregar, abandonar tudo no coração de Deus. É permanecer, depois, em silenciosa oblação com o coração entregue ao coração divino. É o momento da concórdia – dois corações batendo ao mesmo ritmo espiritual –, com muito amor e gratuidade.

Na adoração nós nos colocamos diante de Deus e começamos a enxergar nossa vida dentro do coração de Deus. A adoração se dá pela oblação em toda a nossa pessoa e vida. Nós nos lançamos na presença de Deus desejando uma sintonização amorosa e agraciante como seu coração divino. O encontro com Deus na adoração vai abrindo todas as dimensões da vida dentro de nós e criando em nós um olhar amoroso e vivificador de Deus em todo o nosso ser.

Contemplativos hoje

O espírito contemplativo deve irradiar uma comunidade que ama e se deixa amar por todos os seus membros. Nunca nos podemos deixar contaminar pelo vírus do espírito neoliberal que destrói a nossa capacidade de amar e ser amado. Em cada irmão e irmã da fraternidade, há um amor forte. Quando esse amor é tomado pelo espírito de pobreza evangélica, ele se torna também espírito de amabilidade, mansidão, acolhida, hospitalidade, reconciliação. Em cada um de nós há um coração, tanto contemplativo como missionário.

Com o coração tomado pela pobreza evangélica, nós nos abrimos para atender as necessidades do povo com que convivemos, trabalhamos e servimos.

Na Palavra de Deus, é possível observamos pistas para uma vida contemplativa hoje:

- 1ª um *coração banhado no desapego dos bens materiais*, capacitando-nos a abraçar uma vida afetiva e efetivamente pobre, pois os pobres são nosso primeiro amor e devem sempre se sentir em casa nas nossas fraternidades. É um ponto de discernimento que sempre nos ajudará a manter nosso espírito evangélico do acolhimento aos pobres.
- 2ª um *coração confiante na providência do Mestre Jesus*. Na providência tudo está entregue ao amor maior. Vivemos as opções de Jesus: partilha fraterna, solidariedade e fidelidade aos pobres. Cremos que nada nos faltará. Esse dom exige, com certeza, uma simplificação das coisas desnecessárias, do supérfluo e de todo acúmulo.
Mateus 16,19-34 pode servir para uma boa mediação!
- 3ª um *coração entregue à vivência do mandamento novo*, assumido com a dinâmica do lava-pés – a prova da verdadeira convivência fraterna. Amamos como somos amados por Jesus! No gesto do

lava-pés, Jesus como Mestre e Servo se rebaixa em direção à condição humana. Na cruz ele toca e lava os nossos pés, símbolo da nossa relação com o mundo. Jesus nos toca em nosso ponto mundano para livrar-nos do poder do sistema deste mundo. Assim, o lava-pés é um serviço fraterno de cura para os pés machucados. Tal Mestre, tal discípulo e discípula! Como Jesus, escolhamos nos inclinar e tocar as feridas dos nossos irmãos e nossas irmãs aliviando toda dor.

- 4ª um *coração que crê que toda missão nasce na contemplação da realidade*. Nesse momento tudo se torna mais claro e iluminado pela presença de Jesus e pela sua Palavra inspiradora e libertadora. Quando nossos olhares e corações estão sintonizados no Mestre, tudo começa a ser um momento novo de criação, libertação e caminhada no Espírito.

Como Irmão Carlos, nossa primeira missão é ser uma presença de amizade e bondade de Deus no meio da realidade na qual somos inseridos.

Maria de Nazaré, Mãe dos pobres
A mulher contemplada, contemplativa e portadora de Jesus

Sintonizemo-nos com Maria. A descoberta da sua própria vocação gera confiança e alegria, dissipa o medo e transforma esterilidade em vida (Lc 1,26-38). Deus decidiu intervir na história da humanidade através da mediação amorosa de Maria, que se colocou disponível pelo seu SIM a Deus. A comunhão amorosa com Deus gera nova vida, abre novos horizontes. Deus comunica seu amor ao povo, transformando o velho em novo, o sofrimento em bênção, a ferida em cura, o medo em confiança, a descrença em esperança.

O SIM de Maria clama por outros compromissos e opções. A encarnação de Jesus continua na história, à medida que cada pessoa vai dando o seu SIM ao projeto de Deus e fundamenta a sua vida em Jesus. Deus realiza maravilhas em cada pessoa. Como Maria, todos são chamados a ser instrumentos de vida e luz, acolhendo a força transformadora do Espírito em sua vida. Maria é colocada como o primeiro *Evangelho vivo*, com seu coração entregue aos *pobres mais abandonados e menos amados*.

Maria faz presença nas primeiras comunidades cristãs – dos pobres, oprimidos, aflitos, viúvas e órfãos que buscam mais vida (Lc 1,39-56). Com Maria, em seu *Magnificat*, está toda a humanidade, humilhada e sofrida, que se une a ela para uma escuta atenta ao agir de Deus nas pessoas. O cântico contrapõe novos valores às falsas situações humanas. Ser discípulo ou discípula de Jesus, do jeito de Maria, é uma constante busca de oração, silêncio, contemplação e encantamento como projeto de Deus.

A intimidade agraciante de Maria com Javé chega à plenitude no momento em que o projeto de Deus se torna o projeto de Maria! Maria assume uma missão que é a própria missão de Deus: plenificar o povo com vida abundante! A Palavra faz a sua presença na vida de Maria e, através dela, nos pobres mais pobres. O Espírito Santo, presente na Palavra desde o dia da criação, continua realizando coisas maravilhosas que parecem impossíveis.

No *Magnificat* a missão de Maria sob o olhar de Deus encontra graça aos olhos de Deus! E Maria gesta seu Filho *do outro lado,* do lado de fora da sociedade de seu tempo, pois não houve lugar para os pobres. *Ele será chamado Nazareno!* Assim, com Maria, Jesus faz uma opção pelos que estão fora, os que estão do *outro lado,* os que estão queimados pelo sol como as tendas de Cedar, por terem sido escravizados pelos irmãos (Ct 1,5-7).

Maria evangeliza com seus gestos e palavras porque traz consigo, para onde vai, a pessoa de Jesus e seu Espírito. Isso é o essencial da evangelização. Maria comunica a alegria que brota de seu contato com Jesus. Ela irradia a Boa-Nova de Jesus que ela sempre carrega consigo. Inicia a nova missão: ir para as ruas, os povoados e as aldeias para anunciar Jesus e semear o Reino de amor, paz e justiça. Papa Francisco chama isso de *uma Igreja em saída para as muitas periferias existenciais!*

Com Maria, abraçamos um caminho de vida sob a bandeira mariana, para viver com a *alegria do Evangelho a mística da pobreza evangélica no nosso discipulado missionário.*

Maria ensina a não fugir dos desafios, mas a acolhê-los como possibilidades de renovar a paixão missionária, fazendo voltar às nossas comunidades os tempos dos *corações abertos,* da partilha profunda entre nós e as pessoas com as quais missionamos.

Gostaria de concluir com algumas palavras do Papa Francisco:

> Juntamente com o Espírito Santo, sempre está Maria no meio do povo. Ela reunia os discípulos para o invocarem (At 1,14), e assim tornou possível a explosão missionária que se deu no Pentecostes. Ela é a Mãe da Igreja Evangelizadora e, sem ela, não podemos compreender cabalmente o espírito da nova evangelização (EG 284).
>
> Maria é aquela que sabe transformar um curral de animais na casa de Jesus, com uns pobres paninhos e uma montanha de ternura. Ela é a serva humilde do Pai, que transborda de alegria no louvor. É a amiga sempre solícita para que não falte o vinho na nossa vida. É aquela que tem o coração trespassado pela espada que compreende todas as pessoas (EG 286).
>
> Maria é sinal de esperança para os povos que sofrem dores de parto até que germine a justiça. Ela é a missionária que se aproxima de nós para nos acompanhar ao

longo da vida, abrindo os corações à fé com o seu afeto materno. Como uma verdadeira mãe, caminha conosco, luta conosco e aproxima-nos incessantemente do amor de Deus (EG 286).

Há um estilo mariano na atividade evangelizadora da Igreja. Porque sempre que olhamos para Maria, voltamos a acreditar na força revolucionária da ternura do afeto. Nela, vemos que a humildade e a ternura não são virtudes dos fracos, mas dos fortes. Maria sabe reconhecer os vestígios do Espírito de Deus. É contemplativa do mistério de Deus no mundo, na história e na vida diária de cada um e de todos (EG 288).

Maria é a mulher orante e trabalhadora em Nazaré, mas é também Nossa Senhora da prontidão, a que sai às pressas (Lc 1,39) da sua povoação para ir ajudar os outros. Esta dinâmica de justiça e ternura, de contemplação e de caminho para os outros, faz dela um modelo eclesial para a evangelização (EG 288).

Bibliografia

Obras sugeridas

A opção pelos pobres na Bíblia, Rinaldo Fabris, Paulinas, 1991.

Jesus: aproximação histórica, José Antonio Pagola, Vozes, 2014.

Jesus e as estruturas de seu tempo. E. Morin, Paulinas, 1982.

Jesus hoje. Uma espiritualidade de libertação radical, Albert Nolan, Paulinas, 2008.

O caminho aberto por Jesus – João, José Antônio Pagola, Vozes, 2013.

O caminho aberto por Jesus – Lucas, José Antônio Pagola, Vozes, 2012.

Opção pelos pobres hoje, José Maria Vigil, Paulinas, 1992.

Opção pelos pobres, Jorge Pixley e Clodovis Boff, Vozes, 1986.

O reino de Deus e os pobres, Inácio Neutzling, Loyola, 1986.

Os pobres da terra, Roy H. May, Paulinas, 1988.

Obras de Carlos de Foucauld

Escritos espirituales, Gladium, 1940.

Meditações sobre o Evangelho, Duas Cidades, 1964.

Textos espirituais, Aster, 1958.

Obras sobre Carlos de Foucauld e sua espiritualidade e outras

A aventura mística de Charles de Foucauld, Michel Carrouges, Duas Cidades, 1958.

A graça da desolação: influência dos padres do deserto na espiritualidade contemporânea, Segundo Galilea, Loyola, 1988.

15 dias de oração com Charles de Foucauld, Michel Lafon, Paulinas, 2005.

Carlos de Foucauld Hoje, Jean François Six, Paulinas, 1979.

Carlos de Foucauld e a espiritualidade de Nazaré, José Luis Vásquez Borau, Loyola, 2003.

Charles de Foucauld, o irmãozinho de Jesus, François Six, Paulinas, 2008.

Charles de Foucauld: o caminho rumo a Tamanrasset, Antoine Chatelard, Paulinas, 2009.

Deus em Nazaré: a face humana de Deus, Emmanuel Asi, Loyola, 1995.

Em busca do último lugar, José Marchesi, Loyola, 2004.

Espiritualidade para nosso tempo com Carlos de Foucauld, Edson Damian, Paulinas, 2007.

Eu sou teu irmão, Carlos de Foucauld, Loyola, 1993.

Fermento na massa, René Voillaume, Agir (esgotado).

Irmão Carlos de Foucauld: ao encontro dos mais abandonados, Ion Etxezarreta Zubizarreta, Loyola, 1999.

Irmãzinha Madalena de Jesus: a experiência de Belém até os confins do mundo, Annie de Jesus, Cidade Nova, 2012.

O parceiro invisível: Charles de Foucauld, C. Lepetit, Paulinas, 1982.

Impresso na gráfica da
Pia Sociedade Filhas de São Paulo
Via Raposo Tavares, km 19,145
05577-300 - São Paulo, SP - Brasil - 2018